U0064621

劉福春・李怡 主編

民國文學珍稀文獻集成

第一輯

新詩舊集影印叢編　第27冊

【朱采真卷】

真結

杭州：浙江書局 1922 年 10 月版

朱采真　著

花木蘭文化出版社

國家圖書館出版品預行編目資料

真結／朱采真　著 — 初版 — 新北市：花木蘭文化出版社，2016
〔民 105〕
188 面；19 ×26 公分
（民國文學珍稀文獻集成・第一輯・新詩舊集影印叢編　第 27 冊）
ISBN：978-986-404-622-5（套書精裝）
831.8　　　　105002931

民國文學珍稀文獻集成・第一輯・新詩舊集影印叢編（1-50 冊）
第 27 冊

真結

著　　者　朱采真
主　　編　劉福春、李怡
企　　劃　首都師範大學中國詩歌研究中心
　　　　　北京師範大學民國歷史文化與文學研究中心
　　　　　（臺灣）政治大學民國歷史文化與文學研究中心
總 編 輯　杜潔祥
副總編輯　楊嘉樂
編　　輯　許郁翎
出　　版　花木蘭文化出版社
社　　長　高小娟
聯絡地址　235 新北市中和區中安街七二號十三樓
　　　　　電話：02-2923-1455 ／傳眞：02-2923-1452
網　　址　http://www.huamulan.tw 信箱 hml 810518@gmail.com
印　　刷　普羅文化出版廣告事業
初　　版　2016 年 4 月
定　　價　第一輯 1-50 冊（精裝）新台幣 120,000 元

真結

朱采真 著

朱采真，生平不詳。

浙江書局（杭州）一九二二年十月二十日出版。原書三十二開。

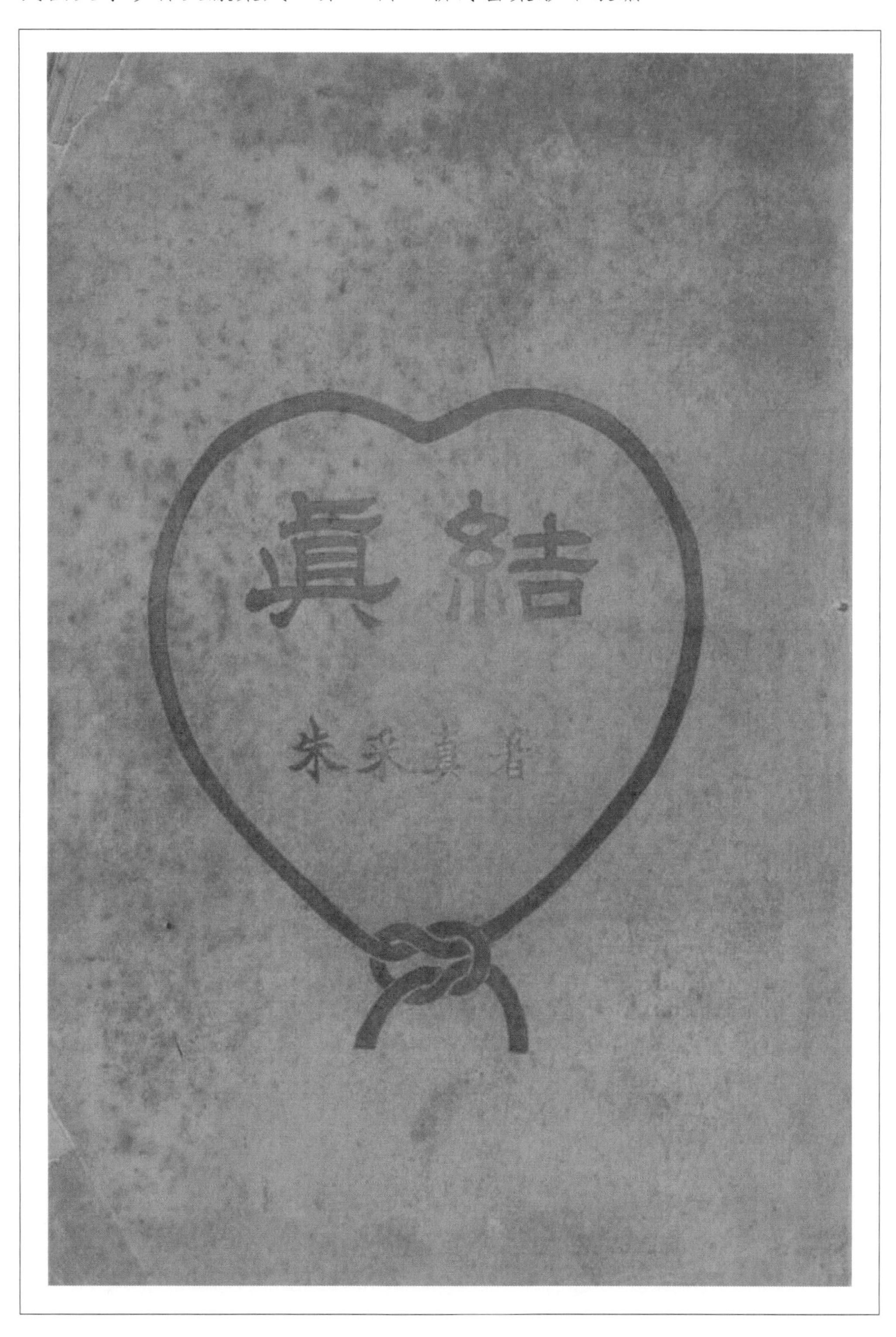
真結
朱采真著

眞結目錄：——

詩的小說：——

舊詩：——

4

6

8

自序

眞結裏面舊詩倒也不少．我不是做做旁人特地把新，舊詩印在一起也不是自信力不強對於新，舊詩模棱兩可；我却是捨不得我從前所做的舊詩呵！任憑他人說我迷戀骸骨；說我信仰新詩的道念不堅罷．

所嘔出的心肝是我自己的心肝；所噴射的鮮血是我自己的鮮血．我自己不愛惜，誰來愛惜？幸而有機會我就把五年前所做的舊詩連同最近新的作品一併發刊了．

這寂寞孤另的我並沒有黨同伐異的好朋友來相標榜；爲我作序，替我捧場．只索狠簡單的寫幾句慰藉這踽踽涼涼的生活．

十一年，雙十節後一日，燈下．

2

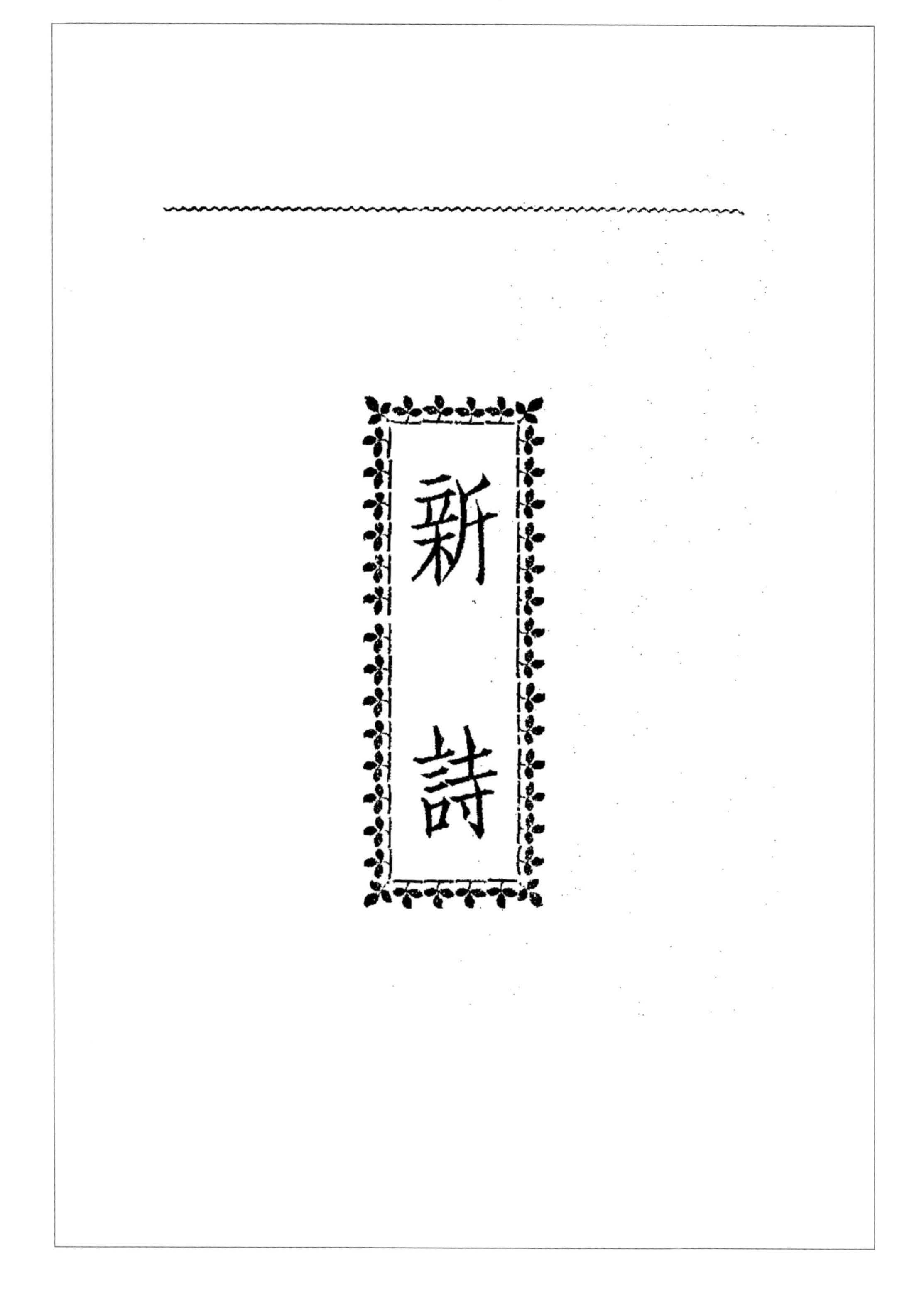
新詩

銷魂和斷腸

❖　❖

銷魂，
斷腸，
人們陷落在悲的境地，
飄墮到愛的漩渦，
總說銷魂和斷腸；
究竟誰斷了腸？
誰銷過魂？

❖　❖

銷魂也罷，
斷腸也罷；

2

我也願銷魂，
我也願斷腸．
索性是腸斷魂銷，
我也好拋棄這可憎世界．

❖　❖

奈何腸也不斷，
魂也不銷；
仍舊是一寸寸迴腸紆曲，
一聲聲魂夢相呼．

新春

◆　◆

春風吹拂着，

3

那情苗怒發了；
梅花含苞欲吐，
一陣水仙花香吹過來。

❖ ❖

春天是幼稚的人生，
充滿了光明和快樂；
大家都開着笑口，
我便也拋棄了萬種新愁，千般舊恨。

❖ ❖

冰凍的嚴冬過去了，
一般工作的同胞呀！
你們受着誰的慰藉？

4

我撥響心絃，唱道：
今年好似去年。

夢境

❖ ❖

走路飛也似的，
好像身子是羽化而登仙了。
山和水一片模糊，
月色淡得淒寂怕人。

❖ ❖

我的記憶力是薄弱極了；
竟想不起這是什麼地方。
前面是一隻船麼？

船頭上站立的明明是她．
待我走近看時，却又不是她了．

❖　❖

我又十分懵懂地覺得環境又變了．
我靠在橋欄上，呆看那
兩行疏柳，
一角紅樓．

嬰兒

❖　❖

嬰兒的呱呱啼聲多神秘；
將來會變作戰場上的叱咤聲，
也會變作民衆面前大呼的演說聲，

也會變作農田裏水車上的秧歌聲；
還會變作街頭巷尾的乞兒聲．
我說：
與其是殺人的叫喊聲，
倒不如是求人的呼喚聲．

人生

❖　❖

人生最不堪的是世態炎涼，
人情冷煖．
幾時纔得鋪平了重重階級，
分不出誰貧，誰富．
人們，

向着誰炎凉、
向着誰冷煖。

精忠柏

❖　❖

清潔無垢的一輪明月，
照着這蓊鬱森羅的精忠柏；
你表現出古代軍人的孤忠，亮節，
你可厭棄現代軍人的鷄鳴，狗盜。

❖　❖

一陣子東風過去，
明月是被白雲漸漸地遮沒了；
樹葉兒檝索地作響，

8

這是什麼聲浪？
我心旌搖曳，
我顛狂似的熱情衝動着我；
猛可地聽得，
這精忠柏也吐露懇切的呼聲：
我兵呀！
我兵呀！

有一天晚上的西湖

◆ ❖

有一天晚上，
一顆顆明星都收拾起光芒；
霎時間，西湖是被風雨包圍了。

9

❖ ❖

一個憔悴詩人坐在一隻破划船裏；
風也欺他，
雨也欺他；
凝眸看，
只是那黑沈沈的山色；
合眼吧！
倒還留着一絲絲楊柳的影兒．

❖ ❖

一個工作的小孩子

橫河橋河下擺着一座結繩子的紡車；
一個骨瘦如柴，垢汚襤褸的小孩子一隻手把着那輪

10

軸的木柄用死勁的搖．
這小孩子想必是學藝的徒弟吧！
我在三年前就看見他，
今兒他還是做這非人的工作．

❖　❖

他總是這般骨瘦如柴，
這般垢汚襤褸；
他的身體全未發育．
三年了，他簡直沒有長起來．

❖　❖

他的手差不多是機械式的了．
長日不住地搖，

我總沒有看見他休息過．
牛馬的生活麼？
就是牛馬也不應如此工作．
他分明是個人，
他分明和那傍邊小學校裏的男女學生同是小孩子．
但是他的人生斃滅了．

靈魂的光明

❖　❖

鑽石耀在舊式女子的眼裏就和
金錢耀在資本家的眼裏一樣；
明月映到一池淸水裏也和
秋波映到情人心裏一樣．

12

明月只有一輪，
澄澈的秋波何處？
鑽石和金錢的光亮却照遍人間，
怪道靈魂的光明都被她們遮沒了。

你是誰？

我驀地看見了你，
我身上千千萬萬血輪齊打夥兒興奮；
你幾時重到杭州？
莫說我記憶不清，你不是她，你是誰？

13

你是安琪兒；
你是天上明星；
你是我的靈魂安慰者；
你縮住了我的心和肺．

◆ ◆

你也是一個黑暗社會裏的犧牲者；
你花團錦簇的青春不久要埋沒了；
你的前途希望得不着一點兒光明．
你生來好性子，凡事百依百隨；
就是這好性子擔誤了你．

◆ ◆

萬縷情絲可縛住那金錢，權勢，和罪惡？

14

這不是你的願心；
你還是天眞爛漫地不甚分明．
我忙不了爲人憔悴，替人惋惜；
我只要戰勝了那惡魔，敎天下有情人都隨我到自由之路．

春燕

❖ ❖

燕子歸來了，
銜泥築巢；
這新巢不比那舊巢，
連日正風風雨雨．

❖ ❖

梁間燕，你的巢傾了，
你飛去再去依傍誰家門戶？
我這裏屋朽梁空，
你就永不再來也罷．

夜快車

❖ ❖

上海開來的夜快車潑風也似相傍而過了．
隔着兩重窗隱約聽得有人喚道：
呆眞！
聞聲却不見人，
聲音是熟極了．

❖ ❖

16

火車多快，
我的記憶力多遲鈍；
等到想起那人時，
車兒去得多遠．
那人到杭州，爲着誰？
爲我麼？
這眞是車走雷聲語未通了．

杏花落

✣ ✣

杏花落，
梨花開；
杏花爲誰落？

杏花爲着解放的人們落；
她不願的是『日邊紅杏倚雲栽．』
梨花開，
梨花爲誰開？
梨花爲着惡魔開，
他願的是『一樹梨花壓海棠．』

搖籃裏的生活

✣ ✣

秋雲般薄的人情．
蛇蝎般毒的心腸，
還陪着極神秘的笑臉；
這世界是可怕極了．

18

我不幸是有情的人類，
我只願常常過着搖籃裏的生活。

我和你

✣　✣

我和你相別又八個月了；
我是沒有一天不想着你。
你有你的環境，或者不見得時時刻刻牽記到我；
但是這孤寂的我，
這多情的我却心心念念向着你。
提起了你，就好像得着安慰似的。

❖　❖

我可喚起我的靈魂宣誓，

19

我和你沒有一星兒愛的根苗種在心窩裏．
就是這千重友誼，萬斛朋情
驅策我懷戀反側．

❖ ❖

我還記得，
那時節，燈前月下，
我和你娓娓清淡；
每每不知不覺地就聽得喔喔鷄啼．
你常笑說：
『瞎講講又是一夜天了．』

✣ ✣

我最不能忘記的，

20

我也願生生世世牢記着的，
就是你天天朝着我說起她。
你說她的性情，
你說她的天才，
你說她的音聲笑貌，
你說她的起居飲食；
連到她的玲瓏心肺，百寶肝腸都繪影繪聲地盡情告訴我了。

❖　❖

當初我本不甚傾心，
經不起你的粲花妙舌刻意宣傳；
無波古井居然湧起那澎湃潮聲。

21

一縷縷情絲爲她作繭；
一行行酸淚爲她揮灑。
深愁濃怨俱來相迫了。

∴ ∴

現在是希望也窮盡；
藕絲也斷絕；
早拚此生做個可憐虫了。

一個可憐的羊癲病者

∴ ∴

一個中年人俯伏在馬路上；
嘴裏白沫噴吐，
哼！哼！

22

和羊一般叫着・
不曉得是誰使促狹，
抓一把淸草放在他面前・
他滿嘴咀嚼・

❖ ❖

他忽地翻身，
起了幾個虎跳・
人叢中有人喝好，
還喝道：
『再來一個・』
我看見這種景象；
臉色也急變了，

23

熱血也凝冷了。
羣衆直怎地無情！
他不是一個可憐的羊癲病者麼？
人們還要拿他取樂兒，
這社會還有生趣麼？

❖ ❖

我有一個朋友說：
『他是假裝的哩．
你看他就要乞錢快了．』
我說：
『他就是一個虛僞的人，
他還犧牲着自已肉體求人救助；

他畢竟不是殺人自肥的軍閥，資本家呵！
我們怎忍心冷酷待他。

煤鑛工人

✣ ✣

機聲遮不斷工人歎息；
燦燦金光酬不了工人勞苦；
冬日的嚴寒，夏日的酷熱
倒侵害得工人骨瘦形銷。

✣ ✣ ✣

世界是黑暗極了；
可憐的煤鑛工人還在更黑暗的，窒息人的鑛穴裏工作。

出產的煤供給工廠麼？
工廠就是工人之敵．
出產的煤供給軍艦和製造廠麼？
這都是殺人的工具．

✣　✣

寶貴的煤最好是供給輪船和火車了，
輪船和火車裏却有三，四等艙座留給煤鑛工人．

心花和意蕊

✣　✣

春歸了！
碧桃開着花，
海棠結着蕊；

薔薇開着花，
玉蘭結着蕊；
我獨瞧不見我的心花和意蕊。
心花呀！
意蕊呀！
切莫學那輕狂柳絮，漫天飛舞。

奮鬪

✣　✣

你要奮鬪麼？
去！去！
上前！上前！
拋棄了冰雪聰明，

把定了鐵石心腸．

✣　✣

冰雪聰明拋棄了，
你就不會徘徊顧慮；
鐵石心腸把定了，
你就會手刃惡魔．

手杖

✣　✣

我買了一根手杖，
上面有許多灣灣曲曲的節；
當時我就手中拿着和朋友們去遊西湖．
他們都批評這手杖的形狀怪難看；

28

但那划船的人却笑吟吟道：
「這叫做寶美籐，是很難得的。」

✢ ✢

我悄地尋思、
這籐蔓生在深山裏；
潔白的質地，堅韌的纖維，
稱得起這寶美好名詞。

✢ ✢

這籐上灣灣曲曲的節，
可以代表那崎嶇不平的生命之路。
原本是一根極尋常的手杖，
竟告訴我人生的玄秘。

✣　✣

這腰上灣灣曲曲的節，
好像我的迴腸九轉，和那一度度的悲歡離合。
流不息的西湖水，消不了新愁舊愁；
猛抬頭，我瞧見一葉扁舟，
這裏面有她。

哭聲笑聲

✣　✣

哭聲難聽麼？
笑聲悅耳麼？
我是寧可聽嬰兒的哭聲，
不願意聽大人先生的笑聲。

30

嬰兒的哭聲裏，
蘊藏着不如意的天籟；
大人先生的笑聲裏，
正不曉得有多少兒郎犧牲了。

贈青萍

✣ ✣

青萍，你可聽見這穹窿太空麼？
我寥寂寡歡的胸中也和太空一樣，
不留一點纖痕。
我要把千言萬語贈你；
但空空洞洞的竟無言可說。

❖ ❖

31

可是我看見了你，
我就想起你所演的戲劇．
我是感慨極了！
戲劇裏的惡人世上何其多；
戲劇裏的好人世上何其少．

❖　❖

就是你化裝的茶花女，
世上當眞有這樣愛國女子麼？
靑萍，這不過是戲劇中的情節；
這是你化裝的表演．
茫茫天壤，
只恨像你化裝式的女子少呵！

32

❖

看不慣社會上千奇百怪，
纔想望虛搆的劇中人物安慰我，
叵耐演劇的人們多是誨淫誨盜，
劇中人物也絕少乾淨人兒。

❖

牡丹花

❖

牡丹花呀！
你果然是富貴，風流；
綠葉扶持着，
高拱在牡丹臺上做那世襲的花王。

❖

33

牡丹花呀！
你好僥倖也呵！
暗香，疏影；月下，籬邊，你比不上梅和菊．
你做什麼羣花領袖．
◆　◆
桃花莫輕薄，
芍藥莫風狂，
海棠花莫烟愁，雨泣，
老荼蘼更莫因風亂颭；
努力罷！
合作罷！
驅除這無賴花王，

34

大唱自由，平等罷；
莫再說蕉葉有心，楊花無力。

西湖

❖　❖

白堤縱着，
蘇堤橫着；
出錢塘門，沿着蘇堤馬路走，
一路是斷橋，錦帶橋，平湖秋月，孤山，和公園。
天然的風景多好；
中間夾雜着一所羅苑，
狹長的房屋，
不新，不舊，不中，不西的建築；

35

門前還站着一個警察，
這是什麼樣兒，
唉！這是什麼樣兒．

❖　❖

白堤縱着，
蘇堤橫着；
經過蘇小墓傍，
沿着蘇堤走，
兩邊是密密的桑和柳．
朝東南望望，
雷峯塔就在目前，
還瞧見三潭印月的三個潭尖．

36

輿盡了；
我緩緩回到岳墳，喚一隻小船，
趁着這一彎眉月；
趁着這一彎眉月。

臨別的一夜

夜雲輕，
新愁重；
離筵散了。
一月來朝朗聚首，
只賸了今宵一晚。

37

青萍，霜鐘，申伯，蟄庵，志灝，和我團團坐了一桌；
一杯清茗，
大家細說離情。
霜鐘要我臨別贈言，
我是說不盡的惜別情懷，
斬不斷的無窮希望。

❖ ❖

夜色已沈沈，
話多了；
大家相向無言，
月影兒移上窗欞。

38

車站上

青萍，霜鐘，別了．
不須折柳橋邊；
不是送君南浦；
我更不說什麼黯然魂銷．
青萍，霜鐘，別了．
此去到天津，
莫忘却杭州同志；
更要掂量你倆的責任．
青萍，霜鐘，別了．
汽笛鳴；

車身動；
我們目力雖窮，這一片心靈伴送你倆渡黃河，直到
天津・

我的幻想

一

一片大戰場，
兩軍苦戰；
訇訇的大砲聲，
嗤嗤的機關鎗聲；
飛艇在天空迴翔，
兵士在戰壕裏匍匐・

40

忽地雷聲大震；
狂風捲地來了，
大雨傾盆倒下了。
雨呀，風呀，雷霆呀，繼續地不休；
天然界的瘋狂壓倒物質界的瘋狂了。

❖　❖

大砲銷聲；
機關鎗絕響；
子彈，炸藥都濕化了；
飛艇被風吹墮；
戰壕變做溝渠；
艦隊沈沒在海洋裏。

那些殘暴的，獸性的軍人就不願弭兵也只索休戰了。

二，

地球上有各色人種；
各色人種的血却都是鮮紅的。
幸而人類的血都是紅色呀！
否則，人身上流出牛乳般的鮮血就和白銀一樣顏色；
或者是黃的就和黃金一樣顏色；
那末，這許多貪財好貨，磨牙飲血的官僚和軍閥更要惡狠狠的殺人逞慾哩。

三

42

我願意我有千百萬靈魂！
一個靈魂隨着南飛鴈；
飛過瀟湘，
飛過洞庭，
一聲聲喚到衡陽．
一個靈魂伴着孤飛杜宇；
烟漠漠，
草萋萋，
呼喚國魂歸去．
一個靈魂投向桃花流水，
不管她飄流到何處．
其餘無數靈魂都飛向碧天空，

都飛向碧天空，
飛到那一顆顆繁星裏，
覓個銷魂處所。

四

小雨潤如酥，
一絲絲灑遍花枝；
我幾時也化身作雨絲兒，
紛紛落遍人間；
就不飄到伊人身上，
也滴遍她的花兒，草兒。

五

我愛你，

44

我愛你的熱度把眞確的人生觀都融解了．
我和你的靈魂，肉體沆瀣得不分明；
莫說是魂夢相通，
就是日常呼吸裏，
你呼吸的是我；
我呼吸的是你．
就不化作輕烟，
不化作飛灰；
也分不出一顆心，
兩顆心；
一副肝腸，
兩副肝腸．

六

太陽熄滅了；
星球都齏粉了；
世上只賸着最自然的美和沒有色彩的光．

七

苦痛是人生的良藥；
快樂是人生的贅瘤；
美是人生的慈母；
戀愛和人生是互相擁抱着．

八

靈魂是眼波的俘虜；
眼波注着時，

靈魂也就飛到那邊去了。

九

水是風吹皺的；
額紋是光陰消磨皺的；
心房的摺皺却是深藏幾許人們不認識的玄秘。

十

斜陽墜下去，
遍天空盡是朦朧晚色；
獨有西面山峯彩色分明，
這是夕陽的臨去秋波；
有誰消受？

戀愛

❖　　❖

戀愛只有一個結晶點；
戀愛是一池清水，混雜不得一點兒齷齪；
誰說娶妾是受了戀愛的驅使？

❖　　❖

男女戀愛是平等的呵；
後宮粉黛三千，
就何妨面首三十。
這還有什麼靈，肉合一的眞戀愛。

一陣子急雨

✣　　✣

月也憐人，

雨也憐人，
煩憂焦灼的心肝虧得晚來這一陣子急雨渡到清涼境地。
明月又從疏淡的黑雲裏隱約窺人，
相伴這無聊長夜。

雲霧裏的西湖

✣ ✣

霧裏看西湖，
西湖是碧紗窗裏的玉人兒；
薄雲遮住了明月，
明月是琉璃屏裏的藐姑仙。

✣ ✣

49

霧中湖，
雲中月，
伴着我們這幾個愁城中人；
又另有一番水光，山色；月意，雲情。

划船的款乃聲，
夢梅的嘹曉簫聲，
和那遙遠的人語聲，
衝破這寂寞空閒，
消遣這無賴時間；
但是我兀自沈默無聲。

50

那時候，我的一縷情絲
不繫向孤山梅樹邊，
不繫向蘇堤楊柳邊，
只待飛到那人心坎兒前面。

❖ ❖

船是漸漸兒靠岸了；
十多天雷雨，
湧漲西湖水，
平鋪到環湖路。
我們從錦帶橋徒步到孤山。

❖ ❖

一步步西湖月，

51

一株株白堤柳，
一片片天上閒雲，
還聽得一聲聲猙獰犬吠。

◆　◆

蘚痕斑駁的石階上，
樹影兒縱橫零亂。
儘留連；
半晌，半晌；纔到了林太守墓前。
放鶴亭中，
夢梅，你唱吧！
那邊樓上欄前有笛聲和你的簫聲；
對面亂山中有迴聲和你的唱聲。

52

你不怕沒知音啊！

我呢？

社會的表面

❖ ❖

野孩兒在湖濱公園草地上翻筋斗；

小乞丐跟着人家走，廝纏着要錢；

青年們周圍兒圈子，度那浮浪生活；

有職業的中年人，

下流的就是談嫖賭；

高一等的就是鬼鬼祟祟商量飽碗問題；

怎樣把持地盤，

怎樣排除異已；

這還是社會上表面的一幕。

❖ ❖

揭開這一層表面黑幕，
那裏面是什麼？
唉！我可描寫不出呵。

三潭印月

❖ ❖

黑沈沈的三潭印月；
風也無，
月也無，
星也無；
荷花開來？

香氣却微微聞得．

◆ ◆

立在九曲欄邊，兀自沒情沒緒；
猛可地眼花撩亂，
瞧見整千百個螢火虫周環飛繞荷塘，
在密密的荷葉叢中顯露光明．
這不是點水蜻蜓，
也不是天花亂墜，
倒像天上繁星一顆顆都墜下來了．

狂風雨

✣ ✣

吼聲呼呼的狂風掀天捲地般來了；

55

西湖水激起五，六寸高的淺浪；
馬路上的沙塵漫天吹起；
新市場如同裹在濃霧裏了．

❖　❖

我們從三潭印月掉船回轉；
跨虹是使勁扳槳要趕到岸邊．
我們還笑喊道：
『划船的用力呀！』

❖　❖

潮水似的白雲橫在半天裏，
朝西面直罩過來，
比到奔馬還要快哩．

56

這白雲就是鉅大的，密接的雨點結合體。
杭城東半邊，雨是已經落到了。

＊　＊

我說：
「我們準趕不上，
不如回三潭印月吧。」
划船掉轉頭了；
那雨雲也追上來了。
追到了。
船離三潭印月不多遠，
我已覺得冰冷的，沈重的雨點滴在身上，
沁入心脾，

57

比飲汽水還爽利哩．

❖　❖

我笑了．

還有幾滴雨點從斜刺裏撲到蕙文的臉上，

她也笑了．

她剛剛用手帕去拂拭，

肩上又着了幾點．

這一陣顛狂風雨正向着我們開始總攻擊．

❖　❖

船靠岸了；

雨點是連珠箭般濺滿我們頭面．

蕙文穿了袒胸的紗衫，

58

雨點滴在她的胸前恰和荷葉上的露珠兒一樣．

夏雲

✣　✣

落山的太陽低低下墜到蒿嶺峯前，
離開那座插翅般的山頭只有一線了．
蔚藍天空現出紅的，青的，紺紫的，金黃的顏色．
太陽越下墜，
雲色也變化了．

✣　✣

一片紅雲變做細碎的淡胭脂色；
青的被遮蓋了一片淡淡的白雲；
紺紫色的雲散作一點點咖啡色；

金黃色的漸漸化作鯉魚斑的魚鱗雲了。
✣　✣
一個霧鬢風鬟的古裝美人，
她慢慢地幻化。
她不像古裝美人了；
美且鬆的頭髮漸漸向下傾移，
胸前凸起，
兩手環拱着，
又像是一個禿頭男子懷抱一個小孩子。
❖　❖
她又慢慢地幻化；
顏色是黝黑了，

60

不像人了，
是一座玲瓏突兀的怪石。
一會兒，却只看見一帶都是奇峯，怪石，肥牛，蒼
狗了。

荷葉上的露珠兒

❖　❖

一滴滴，
一滴滴，
荷葉上輕圓的，透明的水點兒；
露呢？
淚呢？
這是荷花墮的淚呀！

61

✣ ✣

今年看荷花的人不是個個都是去年人，
荷花戀着她的老友墮淚了；
大熱地開花，
清水也炙手可熱，
誰知道她的甘苦？
荷花感觸到知音難遇墮淚了．

❖ ❖

我對着荷花傷心宛轉，
訴不得相思，
拋不完紅豆．
荷花更爲着我墮淚了．

62

詩的小說

戀愛的反映

一

民國十一年，舊曆元旦正是悶人天氣；濛濛細雨落個不住．

黑沈沈的天色罩在上面；那堆絮似的雲頭遮住了太陽光線，引起人人不愉快的感想．

＊　＊

在那下午三點鐘辰光，滿鋪着泥濘的新市場馬路上有一個少年女子坐了車子，飛也似的拉到湖濱公園，霍的跳下車來．

她穿一件大紅的絲威脫；胸口挽一個綠色結；繫着一條元色，卐字花的緯成緞裙子；脚上登着一雙黑色皮鞋；那鞋上還沒濺着半星兒汙泥．她聳着那瘦削雙肩，走幾步路婀娜剛健．她的面龐兒長得很俊，藏匿起滿面笑容，却還掩不住這一副得意神情．

✣　　✣

春雨太撩人，大好良晨美景只贈得凄涼山色，慘淡湖光．馬路上少人行，就祇她在湖邊依依不捨；秋水雙眸向四週瞧個不住．

❖　　❖

天氣越陰沈；

寒風越冷峭；
她徘徊又徘徊，很是不耐煩了．
得意的神情已露出失望的顏色．

⁘　⁘

她遠望着六橋楊柳，楊柳好似沈沈睡去；她俯臨春
水綠波，只照見她寂寞孤另的人影兒．
樣樣都嚴冷，獨有她心坎裏沸沸騰騰．
暮色已蒼茫，天晚了．
她決不是前來領略西湖雨景，她是失望了．
她畢竟不是弱者，
她臨去時沒向着西湖灑一點淚珠兒．

二

66

太陽光線從那沒有散盡的浮雲裏透出甜蜜的熱力，
還熱力衝動人們的愛力呀！
第一個感受到的就是春雨滿身的她；
她依舊在湖邊留連徙倚。
她可不至再失望了；
遠遠地不是來了一個洋裝少年麼？

❖　❖

她倆相逢一笑，
微微點着頭，
默默無言，
慢慢兒走到二碼頭上了船；
船漸漸地蕩開。

◇　◇

天空霽色是越發開朗了。
她却嗔霆大發，憤憤責備那少年道：
「你眞誠懇呵！那一天累得我夠了，寒風冷雨中立地，人家準當我是傻子哩」。
霎時間，那少年露出惶急的態度，低聲答道：
「那天來了一陣子不識相的拜年親友，我眞無法擺脫。這是抱歉極了」。
她道：
「這點小事情無法擺脫麽？還是你不肯擺脫呢？無法擺脫一句籠統話可以卸責麽？」
她嗔容滿面，

聲音也顫動；
那少年却千言萬語的賠不是．
一會兒他倆又笑了．

◆　◆

他倆說不完的濃濃情話；
遮不斷的淺笑，輕颦．
划船的却懵懂地不知就裏，把船朝着熱鬧地方划過去．
公園到了．她忽地掉頭說道：
『我們到湖心亭去哩．』

◆　◆

落伍的湖心亭是門前冷落了；

只見水波溶溶，
不見有女如雲．
虧得這一對最高度戀愛熱的人把嚴冷的空氣也溫化
了．

◆　◆

他倆很密接的言情道愛，
他向着她求婚了．
他說：
「妹妹，我愛你比愛我自己還要深到幾千萬層．
有了你我纔生活着；
有了你我纔在這生命之路上努力着．
我是爲了你纔覺得這人生的價值，百樣悲觀都拋掉；

只等待你，我的生命之光，籠罩着我．

現在我向你求着，問着，希望着，你肯………？』

✢　✢

她先時痴痴聽着，

後來是眼角兒漸漸低垂；

一聲兒不響，

不瞋，不笑，也不裝作嬌羞樣兒；

但祇一味地緘默．

❖　❖

他又說：

『我的求婚舉動魯莽麼？唐突麼？因爲戀愛是神秘

的；可以燬滅一切，可以創造一切，可以指揮一切
；請你原諒吧！我是無力自持．
我將來無窮的幸福，今天充分的安慰只靠着你的一
句話了．」
她還是寂靜無聲，心坎裏却是非常感動；
臉兒漸紅暈，這不是她害羞；
這是她的個性，就是女性，的表現．

＊　＊

那少年接着說：
「我和你心心相印，什麼話不能說；最緊要的一句
話你反客惜麼？含情不吐麼？」
她說話了．

她侃侃說話了。

「我和你戀愛的天長地久早經是鏤骨銘心，不須信誓旦旦了。不過我輾轉懷想，想到我和你的舊家庭多專制，多束縛。我們訂了婚約，還是秘密呢？還是宣布呢？秘密麼？祇有我倆明白，難道還要這一句形式上的應允話麼？

情愛要蘊藏在胸中，含蓄在嘴裏，保持到海枯石爛。

宣布麼？舊家庭裏是斷斷不能容留我的了。

你是男子；是人家兒子呀！自然不會被人驅逐出來。

我呢？

我也覺悟，舊家庭是要和她奮鬬的，就和她脫離也
不妨；世上準也有女子生活的路。
但我還是一個中學校沒有畢業的學生哩．智識呢，
淺薄，工作能力呢，自問也缺之．能在這黑暗的資
本主義的社會上覓生活麽？』

＊　　＊

那少年答道：
「你莫操心，我雖是纔在中學校裏畢業，自信拋撇
了舊家庭，儘可自食其力．
你呢，近年女子職業恰恰萌芽；在這過渡時代中，
男子還負擔着養贍責任．你當然要繼續求學，這一
層我也能顧到．

況且戀愛事大，餓死事小，為了戀愛什麼不能犧牲呢？』

女的說：

『誠然，戀愛問題不包含麵包問題；但也得考慮，考慮有沒有犧牲的必要。現在我的父母並沒把我許配給人，我還是女兒身；既不是戀愛的生死關頭，何必就和舊家庭決絕。』

那少年笑道：

『等你許配給旁人麼？那就遲了，遲了；舊家庭生活我早厭倦，只要你千金一諾；就宣布吧，結婚吧。

75

你眞個愛我，你總不難把你的舊家庭犧牲了」。

❖ ❖

她沉吟半晌，
毅然答道：
「舊家庭生活我也厭倦。你肯犧牲，我也……
我和你同意了。」

❖ ❖

戀愛是兩性的麼？
現在是開着並蒂花了；
戀愛是兩顆心的麼？
現在是縮着同心結了。

✣ ✣

他倆眼波互注，
笑盈盈把說話都咽住．
是美滿極了；
是愉快極了．
這時節，
她的頭漸漸昂起來；
他的頭倒慢慢低垂下去了．
他倆吻着．

三

這一對戀愛者到上海結婚了．在北浙江路租了一所
房屋和人家合住着．
她究竟是誰？

她姓陳，叫做梅英．
她的父親是一個不甚得意的舊官僚．
那少年就是胡仲芳，也是一個頑固家庭裏的產兒．

✣ ✣

這次他們悄悄離去杭州，
給他們的父，母一封書道聲決絕．
他們和舊家庭的關係果然是斷絕了．

✣ ✣

蜜月裏的纏綿意緒，
在柔情甜吻中過着日子．
這不情的蜜月就和電影般飛渡，
愛的熱度是越發升到沸點以上了；

78

可是經濟恐慌也幾幾感覺到，
麵包問題也不容他倆不操心了。

✣ ✣

火熱的愛情驅使着，
他倆全不顧現世紀還是資本主義時代。
這茫茫人海裏覓一枝棲，
倒並不單靠腦力和腕力。
願意工作的人們並非輕易地就覓到工作場所。

❖ ❖

正月是已經過去了；
二月裏還享受着新婚的快樂；
三，四月裏，這戀愛慾極強的配偶不能不平分一半

戀愛的，美滿的光陰去玩味生活之謎・
麵包問題可不是容易解決的・伴着戀愛而研究麵包
問題，這麵包問題是更複雜了・

✣ ✣

十四塊錢一個月的房租，十六塊錢一個月的包飯伙
食，三塊錢一個月的娘姨工資，至少每日一塊錢的
零用；還有戀愛的點綴，她的服裝費，化裝品費・
五月終，仲芳在洋行裏覓到一個位置；每月纔得二
十元，怎樣支撐呢？
那時債臺已經高築，簇新的小家庭要變做舊社會裏
的破落戶快了・

❖ ❖

他們果竟能解得戀愛的眞諦．她屛棄了奢侈的珍飾，謝絕了華麗的衣裳；娘姨也辭掉了．她親自做那家庭裏的神聖工作．

繼續求學的志願早經打消了．

她的顏色是一天憔悴一天；萍果似的雙靨倒變成了灰色；雪花兒似的肌膚也帶着金黃色．

她蹙緊了眉峯；蹙時多，笑時少．

仲芳倒蘊藏着一顆熱情的，戀愛的心，還是卿卿我我．

✣　✣

仲芳爲了戀愛色色願甘犧牲；但把這服務社會的宏願也犧牲了．

81

她呢？
她的犧牲更大！在這婦女解放潮流中，只撈着一片
自由結婚的浮萍．她的『人生』仍舊沒有解決．
就不能猜破人生之謎，也可斷定這謎底決不是男女
的戀愛問題．

❖　　❖

他們是拚着大犧牲的，
也不悔，
也不怨憤，
也不輕視戀愛的價值；
但已深深覺悟．

❖　　❖

她更能澈底剖解道：
『爲了戀愛寧願雙雙餓死，
是蠢頭話，
是快心語．
人生決不是求死的；
婚後的經濟恐慌却減少我們奮鬪能力．
人類並不專爲戀愛而生存．
世界上只有愛和美；
這愛決不是專指男女屬性的愛．
正在受中等敎育的人們，莫說獲得一個愛的對象物
就算是解決人生了．』

✣ ✣

83

婚後還有生產問題，
梅英和仲芳的小家庭經得起子女繁育麼？
他倆却斟酌好了；
山額夫人的節孕法。

✣ ✣

社交公開，
自由戀愛，
戀愛結婚，
婚後的生活，
資本制度的壓迫，
子女繁育的苦難，
山額夫人的節孕法，

這種種連帶問題怎樣纔能完滿解決？

我已經許給人了

一

夜靜更深，空氣和止水一般沈寂；

路傍樹葉兒一絲不動像是在那兒休息，

很沈鼾的睡着了。

一個落拓文人，他的別號喚做絲素，

剛從靜安寺路朋友家裏出來，躑躅向西走着。

◆ ◆

濃愁湧到他的眉邊；

隱恨埋在他的心上。

如此深宵，他正在領略人生眞況味；

85

走到那站立的印度巡捕身傍，大家互瞧了一眼；他
便懶洋洋走過去了．

❖　　❖

走不多遠，
忽地隱約聽得輕輕地砰的一聲；
音響低微，却能透過這寥寂的空間．
他昂着首，低低說道：
「慘酷呀！
這是新式鎖音手鎗的射擊聲浪呵．又有誰被人暗殺
了．」

❖　　❖

綠素是個慣家，便不去通知那蠢蠢巡捕．

急忙忙走到極司非而路，留神瞧看。遠遠的他瞧見一株梧桐樹下好似黑黯黯的橫着一個人影兒，他就很謹慎的從懷裡掏出手鎗，邁步上前。那梧桐樹下果真躺着一個不幸少年，嗶嘰袍子上胸前滲透了鮮血，巴拿馬帽拋在一傍。

＋　＋

這被彈少年合着眼，蹙緊了雙眉；臉上現露出慘厲的死灰色；唇吻翕張，嘴角兀自微動。死了麼？活的麼？像是沒有嚥氣哩。

◇ ◇

綠素跪在他的身傍，
一手托起他的肩膀，一手攬着他的腰身，輕輕把他
側轉身來；很柔和的問道：
『朋友，你怎樣了？覺得傷勢重麼？你能說話麼？』
那人聞聲，眼皮兒微微一抬，眼光慘銳怕人．他倘
瞧見綠素的手鎗了．臉色驟然大變．
綠素也覺得，急急安慰他道：
『我也是飄泊的人，我也是擁護正義人道的人．你
相信我吧！你願意把你的生命鄭重托付給我麼？』
他又張開眼，
他點頭了．

綠素再問說：

『我可喚巡捕麼？喊車子送你到醫院裏去麼？』

他連忙掉頭，臉色又劇變了。

綠素就也澈底明白，便又極誠懇的問道：

『親愛的朋友，你要我怎樣帮助你呢？』

二

朦朧殘月照着地上一泓碧血；

這月色倒變皎潔了。

綠素殷勤問着，他的兩眼微張，手和脚稍稍抖動，

發出震顫的聲浪答道：

『你……你能攙扶我到那……麼？』

「你能走麼？鎗彈不中你的要害麼？」綠素問．

他頷着．

他掙身要坐起來了．

綠素忙着扶住他道：

「慢慢吧！我先來替你理創．」

「那邊就是……此地危險喔．」他使勁說．

他又倉皇四瞧．

✣ ✣

綠素無言，左手擎着手鎗，右手攬住他的腰圍．他靠在綠素的肩上．他的全身重量都移轉給人了．

緩緩前行，胸前兀自流血．

目的地到了；一條街堂裏第三座墻門．

他已是力盡神疲，支持不住了，橫陳在地上，低低兒呻吟；嘴裏呢喃道：

『一下，三下。』

綠素會意得，輕輕扣門；先一下，後三下。

聽得脚步聲了。

聽得低沈的，淸圓的京腔說話了；還是女人聲氣。

『回來怎遲。』

◆　◆

門呀然闢了。

當門站着一個女子，一個漂亮的女子。

蓬鬆的頭髮，

的礫的睛球，

91

白梨花似的雙頰暈起一層玫瑰色彩；
一隻手還搿着門環，掣電般的眼波先瞧見綠素，又
瞧見躺在地上的他．
綠素也瞧見她了，
很仔細地瞧見她了．

✢ ✢

她的面龐兒熟得很，她是誰？在那兒見過？綠素可
呆住，她也呆住了．一剎那間，綠素先說道：
「他被人暗殺．他受傷了．我救助他到此．怎樣呢
？我們趕快負他到屋子裏去罷．」
那時她的背後還有一個十四，五歲的童子，綠素也
面熟，却一時想不起究竟是誰？

三個人一齊着力，把他擁抱進來，睡在籐榻上。

❖　　❖

她是惶急極了。

容顏慘變，却沒有絲毫慌亂的情形，用最敏速的手術給他療創，裹傷。

解開了衣紐，袒露着胸膊，傷痕現出了。彈丸從左乳旁斜穿進，向脅下穿出。紫血模糊，凝成一片兒；傷口還冒出一縷縷血絲。她噓着氣道：

「僥倖呀！內臟沒受傷呵。流血忒多，人是暈過去了。」

✣　　✣

慘白的臉色映着燦爛電燈，

他倒變到片刻的寧息了，
綠素卻孤另另一傍立地；
舊事如潮湧，
心房跳個不住；
愁上心來，
恨上心來；
八年前的陳跡，八年來的凄戀都在這點靈犀上映射
出來了。

✣ ✣

裹好了傷口，已經是三點鐘。
窗外清清冷冷地起了幾陣微風，屋子裏的人肌膚都
起栗了；她縱跚躡到綠素，凝眸道謝，

『先生，今宵事我眞感激不淺哩．』

這是我的責任．沒有旁的事要我效力麼？我可要告辭了．』

『如此深宵，先生歸去不妨麼？』她說．

她又遲疑着像要說什麼似的．

綠素覺得了．便鄭重道：

『女士，我是識得秘密價值的人，今宵事眞能守口如甁哩．』

她發出極感動的聲音說：

『先生，謝你，多多兒謝你．』

三

馬路上是更凄寂了；

天上還刮着寒風；
疏星，落月是到西半球去顧盼生姿．
綠素一頭走，一頭想：
「她不是八年前的藍蔚霞麼？原來她也投身革命事
業了．那被彈少年倒像她的所歡．她和他果眞是羅
蘭夫人和羅蘭麼？他分明不是中國人，她呢？
亡國多痛苦，誦造多艱難．
我爲了國仇，公憤，同情，和友誼，總得帮助她．
蔚霞，今晚我對得你起也呵！」

◆　◆

綠素在上海所活動的樣樣都失敗了．
所栽種戀愛的花是鏡中花；

所望見戀愛的月是水中月

他是深知國際情形的人也不便去探詢蔚霞，他卻知道蔚霞已經搬家了．

無聊復無聊，

歸去來呀！

❖ ❖

一日，滬杭夜車頭等房間裏綠素正躺着．那晚乘客不多，頭車客車更寥落．

車過了嘉善，飛也似的駛向嘉興．

機聲匐匐，

汽笛鳴鳴，

震得耳鼓要聾聵了．

綠素愁思轆轤，坐得不耐煩；
徽步出室，憑窗瞧見那窗外田疇，樹木，小溪，荒
蕩排雲一般向後倒退下去．

❖ ❖

他略一俄延，便開走了幾步．機聲越是震天價作響
，車身也越發撼動了．
他猛可見六號車室裏發現驚人動作．
一個好像島國蠢奴的中年人穿着華服，握着手鎗，
猙惡面目上滿堆着殺氣．
兩眼炯炯凶光朝着一滿腔熱血，無力抵抗的女子直
射．
那女子舉起雙手，顰眉努目，忍耐着無窮憂憤．

那獷悍男子把手鎗指向她的胸膛，右手在她身上翻騰搜檢。

一束紙捲在她的衣襟裹搜出來了；他便放在袋中。

◆　◆

足音跫然，綠素也就闖進室中，那男子却狠從容地把手鎗瞄準在綠素額間；低喝道：

「禁聲！你幹嗎？」

綠素一聲獰笑道：

「這是滬杭路，不是南滿鐵道呢。鎗聲一縱，你不怕泄漏秘密麼？瞧瞧你也是好身手，好不解事。我只要有相當酬報，什麼都不管。」

那男子點頭會意，詭笑一聲，握鎗的手便直垂下去

・一面探懷摸索錢鈔。

✣　✣

趁這個當兒，綠素急拿出一柄玲瓏新式的小手鎗指着他，陡換一副面目，莊嚴威重地命令道：・

『你的手鎗遞給我・那一束紙捲交還這女士・』

『你不服從麼？看！看!!這柄手鎗射出極微細的聲浪・在這轔轔車聲裏準沒人聽得・殺你，再投屍窗外，我真不難從容布置・』

那男子睜眼，齧唇，怒氣勃發；

但他終究是屈服了；一一都聽命了，

✣　✣

綠素就把這一束紙捲交給那女子；說：

『請你到鄰室裏去，讓我來對付此獠．』

綠素又向那男子說：

『你靜坐在這兒，不准你說話，到艮山門下車．我老實告訴你，我爲了她無不可犧牲．你一反抗，我和你都死．』

那女子不是旁人，就是藍蔚霞啦．

嘉興站，峽石站，長安站，臨平站，一站站都過去了．

艮山門到了．

那男子蹣跚下車．走下踏步的辰光，朝着綠素笑道：

『先生，後會有期．』

101

綠素也笑吟吟說：
『將來到長崎，大坂再見呵．』

❖ ❖

萬家燈火一盞盞照耀到目前．
杭州畢竟是好地方，
清新空氣把一路上的殺氣都撲滅了．
汽笛大鳴，車頭慢慢停止；
乘客亂紛紛離座；
蔚霞女士挈着皮篋也盈盈下車．綠素挨近她的身傍
，問她可要伴送一程．
『兩次救援，我也不空說感謝話．此去定無危險，
可不勞相送．』

橫波一盼，便頭也不回的去了。
綠素撫心恨道：「我直怎地無把握，」

四．

桃花色的斜陽返照在一帶冬青樹上；
十一月裏的寒風不住地吹，
吹得人們要裝綿了；
太陽也被吹得沒力，光彩多慘淡。
綠素回來了一個多月，
沒情沒緒的正瞧着那些深綠的冬青葉長受太陽光線
激射顏色也有點赤化了。

◆ ◆

一個穿制服的郵差送來一封信。

信緣密密固封。
緣素狠不注意的拆看，看不到二三行他就喜氣盈懷
了。
萬千眉結一個個舒開；
千萬縐紋一縷縷消滅；
他絕不遲疑的迅奔去了。
蔚霞還在杭州，就住在八年前的舊地。
他倆相見時，仍舊坐在那小花園裏楓樹底下青石凳
上。
楓樹也落紅成陣，一片片紅葉零星飄墮。有一片恰
飛墮在蔚霞懷裏，好似歡迎這舊主人歸來！
假山石還是亂堆着；八角涼亭還巋立着。

桃樹，李樹，薔薇，葡萄樹，梅花都比從前長大，他倆的心苗也該越發萌芽了。

＊　　＊

蔚霞喚着他舊時名字道：

『桐哥，兩度相逢，你不根究我的踪跡。我眞感激萬分。我對付你的態度忒冷淡，你不怨我麼？』

綠素微笑說：

『我近年不解怨人，也不自懟；心火是磨折盡了。今日的我不是你的前度桐哥哩。』

蔚霞笑說：

『我也明白，前度桐哥是茂陵秋雨病相如；現在桐哥是新買五尺刀，一日三摩挲。氣宇和胆識果眞是大不相同・」

❖ ❖

絲素又道：

「我有一句大胆的話可以問麼？」

「什麼話？」

「那日被鎗傷的少年是你的⋯⋯？」

「是的，我已經許給他了・這不過是安慰他呵・其實我國破家亡，深受痛苦；兒女之情早拋擲到九霄雲外・」

絲素是默不作聲・一會兒，蔚霞又說：

「桐哥，我近來正在進退維谷・你能援手麼？」

絲素眉宇軒揚，生氣奮發了・

『我寂寞一身，什麼不能幹哩。』

◆　◆

『桐哥，似此眞心待我；只是我辜負你也。』說到此，她的雙頰都飛紅了。她接着說：

『那一束紙捲必須密地封存，密寄到赤塔。但是同志們都被人監視，千山萬水教人怎生飛渡。』

綠素坦然說：

『我儘能作寄書郵，明晨就趁早車走；好麼？』

蔚霞笑起來了。

『你也被人注意了。你的小照早經被人拍去。山海關前一片月，我忍心教她埋葬你的吟魂醉魄麼？不過你的交遊多志士。請你代覓一個有肝胆，有智略，國際上稍有聲譽的純潔少年為我作一度洪喬；
意中有這樣人麼？」
綠素應允了。
他倆重復咕噥着商酌進行方法。
她又絮絮說四，五年來的遭遇，時而淚下沾襟；時
面蛾眉倒豎。
綠素聽得呆了。
他滿心要訴說一番離情別緒却被她奔走救國的言論
咽住。幷且她已說過「我已許給人了。」
唉！綠素，你又失望了。

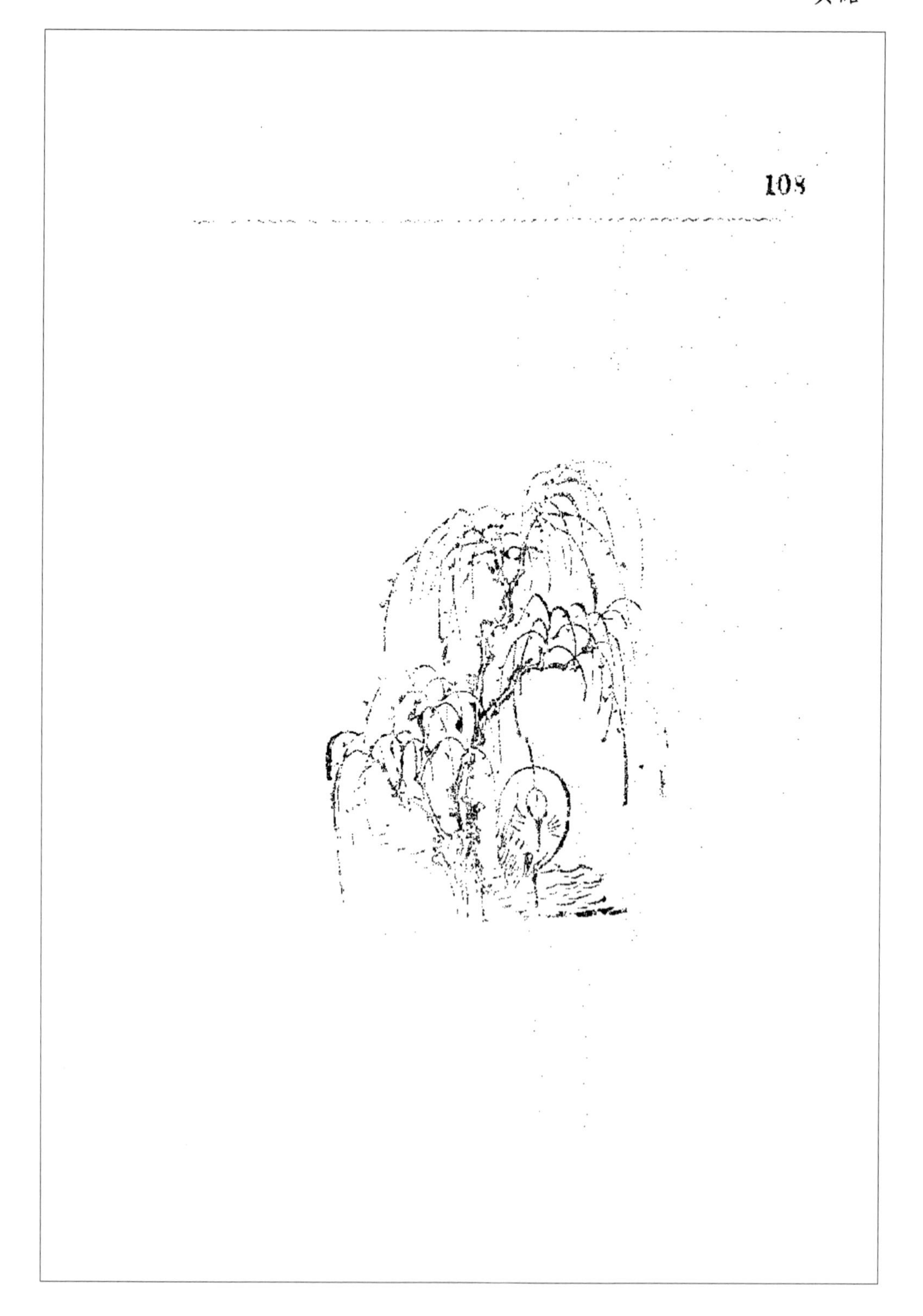
108

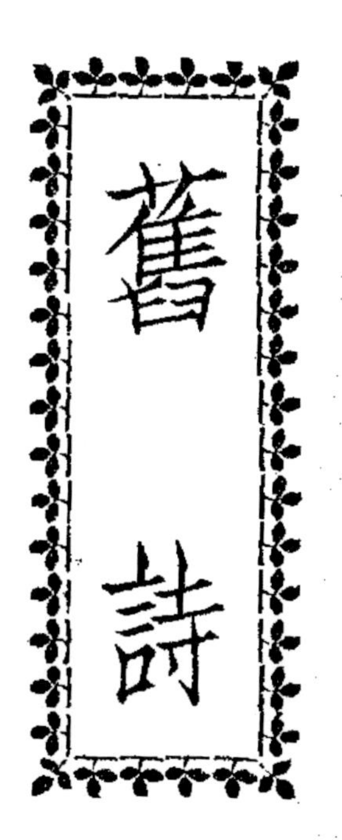
舊詩

紀事

密字行行記誓盟，莫教相識在來生；浮雲力薄空添恨，
流水愁濃不勝情。壓線生涯遭白眼，落花身世墜銀泓；
可憐誤盡黃衫事，辜負當初浪問名。

遺恨

紅豆詞塡淚不停，相逢我汝正髫齡，年年兩鬢青如許；
風瘦梅花病瘦形。

閒興

鶯繞花枝燕繞樓，風前小立思悠悠；憑何消遣遲遲日，
楊柳陰中戲錦毬。
花片飄零柳絮飛，可憐蝴蝶傍誰依！濃將蘭麝薰羅袖，
爲惹連翩逐我歸。

碧天如水試新妝，憶得荷花爛漫香；斜月半彎秋夜悄，
輕舟一棹到銀塘。
寒風凄寂掩重門，指點紛飛憨意存；笑怨儂身輕燕似，
幾番撲雪雪無痕。

和友

絮絮離情葉葉波，衣香鬢影惱人多。歸舟悵望成陰樹，
一路紅樓與愛河。

憶舊

倚徧離欄強自支，春心揉斷舊情絲。眼波衹待傳微恨，
尺素終難寫賦詞；有淚却同陳主語，無題會解李山詩。
佳晨此日深深憶，花信芳非月嫩時。
墨花曾濺浣花箋，筆底雙棲可有緣？月下早成離恨譜，

行行又見月如鉤．

白堤踏青又蘇堤，細草侵鞋亂不齊．歸路任從湖水闊，
柳枝撥土要留題．

勝地何堪亂草紛，聽鸝斗酒飲難醺；錢王廟祀今依舊，
柳浪鶯聲久不聞．

遊蹤重過躡堤橋，春色盈眉淡又嬌；多少柳陰遮不住，
一方羅帕似相要．

三月東風已可憐，落紅時節奈何天，桃花正逐楊花舞，
船到湖心懶不前．

白雲寥落意蕭然，淺浪輕舟過葛仙；點水蜻蜓飛不住，
倦人風景儘留連．

草長風煖影婆娑；撲面飛塵落水渦；側帽斜陽勞悵望，

人間難製合歡篇；鳳城春盡飛紅後，鴛水香濃敷葉天；更是傷心金婿詠，誤他雲母幾經年。

傷往事

曾從響屧撲流螢，綠綺窗前對畫屏；百斛明珠輝舊匣，一雙慧劍鈍新硎。桂堂秋月描瓊樹，竹院西風亂玉鈴；淒寂幾回傷往事，掩龐我自話丁零。

口占

大塊有時盡；相思終不灰；今宵心暫冷，古刹學禪回。

西湖雜咏

東冷路少釣魚磯，夾岸山峯晴翠微；此去長堤行不得，如酥細雨濕人衣。

不須駿馬不須舟，嘯傲烟波慣獨游，滿腹牢愁消不得，奇峯變幻夏雲多．

隔船細語正喃喃，鼓棹經過印月潭，爲探長松繫馬處，
凝眸遙見白雲庵．

紅箋

書恨鋪紅箋，風來吹欲起；不堪情意深，相望隔山水．
羅帕裹紅箋，深藏瓊玉笥；胡爲珍惜多？中有相思字．

紀事

麗質柔情錦繡腸，嬌猾吳語吐丁香．憨癡已慣拈花笑，
小弱堪描總髮妝；糖果餘錫沾袖帕，金錢細數探衣囊；
早教阿母多憐惜，嬉戲猶如燕燕忙．

古游俠

然諾從無負此生，馬蹄愁踏落花輕．酬恩不作纏綿語，

114

一劍光芒見血誠。

錦韉寶勒玉花驄，馳騁風塵戲燕鴻，不向胡姬沽酒醉，
一腔鬱氣吐長虹。

交態而今不易論，翻雲覆雨翟公門。誰能肝胆兩相印？
為飲當年北海樽。

結客探丸志未酬，邯鄲年少不禁羞！西山射獵今方罷，
扼腕難忘國士仇。

心胸磊落絕人羣，挾彈新豐細草紛；偃蹇幾遭俗白眼，
揮鞭欲覓平原君。

易水歌聲已遏雲，悲涼慷慨掃三軍，古人成敗何須較，
燕市餘音久不聞。

一生抱負試金刀，恩怨分明氣更豪，猶有白虹來貫日，

警他舉世盡滔滔。
兩旁伏中不倉皇，挖血戎機隱玉觴；安得專諸匕首利，
盡敎羣醜死魚腸。

九連環

不將密意拋紅豆，曲曲彎環纖手門。爲解年年婉轉思，
故敎十指瑚瑚瘦。
寒宵正是憂時節，落月也如明鏡缺。愁傍屏風倦倚簾，
含情難解鴛鴦結。

除夕

臘月寒風掠晚林，梅枝消息綺窗深。千迴機字曾成錦，
百練文章未化金；芳草難圓才子夢，香花易警美人心。
年年望眼明朝事，萬斛春光護綠陰！

116

紀事

綺情艷意最難描，未嫁嬌娃號小喬。流盼已殊少婦目；回身慣出女兒腰。劇憐衫影隨香轉；省識醫紅為怨消；正是天真猶爛漫，淺顰輕笑待誰調。

雙雙笑口畫圖開，感我愁腸又九回。合浦珠還猶有憾，藍田玉種不須媒；藕絲情緒三生恨，燭淚相思幾寸灰；脈脈盈盈傷咫尺，雲羅不見鳥飛來。

代答

淚墮明珠恨已遲，蛾眉螓首不勝垂；相思試畫團圞月，半是郎癡半妾癡。

瓊樹瑤枝滌淨塵，一簾香霧久為鄰；自從解識東風意，不作愁顰便怒嗔。

無題 四首

猶有羞花貌，嚌言羃北空？粉痕啼又笑，脂暈白還紅；
鳳髻濃妝日，蛾眉淡掃中；尙知劉碧玉，未入汝南宮．

珍重橫波盼，千金一笑無？燕涎將化石；鮫淚亦成珠．
眉語癡珊鏡；心灰冷玉壺．闌干倚不遍，須倩侍兒扶．

玉堦雙燕舞，羨爾獨婆娑；扼腕霓裳曲，傷心金縷歌．
魂消芳草路；骨瘦海棠窠．高閣曾窮目，春烟鎖翠多．

似水華年逝，空傳錦繡腸；窺簾羞賈氏，待字薄王郎；
辜負療飢色，深憐解語香；更愁婀娜態，難製嫁衣裳．

雜感

淚痕常和墨痕斑，入骨柔情尺幅閒；轉是有心人不覺，
庾辭隱語盡雙關．

妝罷蘭閨明鏡臨，明珠鑽石不勝簪。深愁積恨傷顏色，
不顯君心似我心。

怒時情態歷微烘，顰到眉山點染工，嚧絕翻教儂笑謔，
玉人心竅太玲瓏。

也含眼淚也含羞，每疊紅巾摺月鈎，無可奈何情不斷，
避儂時節總回頭。

幾向紅顏一解頤，心花瓣瓣盡離披。浪拋萬滴情人淚，
流入淸溪化綠漪。

遐思

玉骨翩翩夢不迷，舊時盟約似新締；修蛾昔已防人見，
慧鳥今猶學汝啼。

綺懷

119

飛燕成行影半街，儂家深意遠天涯．簪花小字題絲帕；
綰髮濃脂膩玉釵．香淚海棠春雨岸；相想芍藥夕陽階．
墜紅有恨無言語，記取佳期鬱滿懷．
對影雙鸞識面初，未相纏綣已相疏；桃花年命誰相似？
楊柳風流我不如！荳蔻玲瓏思往事；碧烟迷漫寄新書．
及今西望瓊樓遠，曲曲欄干百事虛．
雲母窗前理畫裙，譜翻樂府厲離羣．屏山有夢迷珠月，
綠水無波憶彩雲；心熱易添香一瓣，鏡空難製淚雙紋；
琅玕雜佩須相贈，最是鸞釵不忍分．
竹影花香憶翠鬟，萬重羅綺阻瑤顏；香塵纖跡留珠舄，
綺麗佳名印玉環；桃葉青衫相蘊藉，柳花紅淚共斕斑．
羣芳珍重尋常謝，惟有情芽未易刪．

恰當十五杏花憨，相識相逢語尚含。刺繡學描鴛七二，行吟纔唱月初三；藍田種玉思靈鳳，滄海冰絲纏野蠶；孤蝶也同人躑躅，傍簾雙翼影鬖鬖。

擊節無須玉唾壺，百年鐵網碎珊瑚。積讒銷骨從山幻；銜石迴心恨海枯。鬥草幾聞山鳥喚；賞花曾有杜鵑呼。相親舊有金條脫，豈道儂心負小姑。

和友 四首

不甘憔悴貌，強作小兒歡。花落枝難落；燈殘月未殘。東風吹舊恨；流水吐新寒。訴盡連宵意，悲涼寶瑟彈。

清才空自負，握手孰為歡？紅粉迷煙雨；花枝笑懶殘。輕濤銜晚露；微雨動宵寒；儘有相思淚，長從夢裏彈。

自愛吹蘭氣，蕪詞憶所歡；隔簾艷色淡，寶篆好香殘；

掠鬢臨妝晚，添衣對鏡寒；隋珠何足惜，常把淚珠彈．
沈水奇香沓，新愁間舊歡；柳梢明月上；杏靄夕陽殘．
蜃氣燈前幻；潮流窗外寒；危欄猶徙倚，纖手更輕彈．

落花

憶得春初茁嫩芽，傷心又見漫飛霞．小園輕薄低枝蝶；
上苑飄零舊館娃．玉手忍拈雙瓣碎；碧衫易撲繡紋斜．
爲愁狼藉無人惜，空說東南第一花．

萬刼修成碧玉枝，榮華衰謝寸心知．柳煙杏雨無香挹，
落月斜陽有夢隨；短徑不堪緣客掃，長裙每是爲君持；
負他絕代嬌顏色，縱是鴛鴦也別離．

幾回聲咽洛陽橋，文綺繁華賤六朝．疏雨碎紅飛不起，
濃香嫩綠福難消；已輸芳草青痕滿，豈讓仙雲幻色嬌．

萬點風飄狂似絮，開時不及謝時驕。
剪彩東君喚蝶奴，柔枝婀娜殘珊瑚，慣隨春色傷縹緲；
不惹紅塵醉碧蕪。綠綃衣來憐玉蕊；杜蘭香去隱芳膚。
容顏莫道風前老，九十韶光逝水無。
落霞成陣最顛狂，一瓣應迴一寸腸。初踏錦茵蒐履賦，
新營金屋燕泥香；杜鵑爲汝啼凄惻，蝴蝶迷儂夢渺茫；
自古繁華無限事，幾枝紅杏倚雲芳？
不堪燕蹴又蜂黏，半面妝成薄暮天，每是風狂埋野徑；
何曾雨亂舞華筵。絮飛淨白絲千縷；春減殘紅恨一年。
莫怪滿園花信好，可知紫玉也成煙。
成陰綠葉百花洲，捲上重簾十二樓。緗陌輕車通電笑；
錦韉駿馬重春愁。未能解語沈香艶；只是無聲折柳柔。

刼到定知留未住，欲渠飛上玉搔頭．

年年妝點爲誰容？天上人間總負儂．香到酴醿鮮艷盡；閑從棟木晚芳濃．一簾猥藉回風舞；半壁淒涼墮翠重．飄泊任敎相護惜，東風留恨不留跡．

以上選自民國以前舊作．

懷秋 五十首

極目天涯錦字空，淮南葉落白蘋風；粉箋香墨懷人句，製就同心夢亦通．

濯錦紅霞向晚開，納涼淒傍古青槐，問鳩卜鳳都無着，猶有燃心未化灰．

澹月琴絲獨坐時，催成平子四愁詩；秋心寥寂誰相印？萱草當年種幾枝？

124

新製齊紈見淚紋；留仙不佽藕絲裙．雕廊愁現彎彎月，
初畫秋眉出嫩雲．

蕊珠宮外奈何天，破恨東風值幾錢？苦憶伊人蹤跡杳，
深愁幽怨鎖眉邊．

彩鳳雙飛弄玉臺，神仙何用雉爲媒；紫簫翠笛求靈匹，
江令空聞曠世才．

一水相望莫問津，鳳輧容與鵲橋新．人天今古同斯刼，
不信凌波洛浦塵．

秋士山來悲不堪，西風歸燕未呢喃；幾年清淚傷紅豆？
苦憶遐思已素諳．

靡纖細雨未堪聽，望斷愁眸一息停．洞戶飛甍應寂寞，
心香瓣瓣可通靈？

125

四壁蟲聲透碧紗，秋雲猶似夏雲遮；春思不及秋思健，
駿馬難駝七寶車。

紅牙節拍按新腔，方譜春波采綠茳。鬢影歸來人似玉，
追踪曾識隔花尨。

博齒慵投暗自傷！沈腰瘦削怯微涼。年年養病如吳質，
贏得青衫束帶長。

楊柳梧桐近畫樓，捲簾猶道不知秋；桐郎祇有衰顏色，
難入芳閨晚眺眸。

鴛瓦涼生夢醒時，雲軿莫望降瑤姬。人間豈有神仙眷，
留枕懷香不可知。

連天野色秀平無，苦紫荔紅景不孤；最是無人能髣髴，
繪他一副采菱圖。

錦水丹鱗雙鯉沉，枉傳索笑費千金；自從犀角涼心後，
猶是傷秋思不任。

遠笛悲涼礎響淒；蟬聲新唱綺窗西。酸心曾聽臨歧語，
鳳鳥於今不再啼。

玉貌羅衣入夢頻；嬌能解語尚含顰。相期寶婺情長在，
不向銅街問麗人。

多少樓台亂駐驂；昨宵癡夢徧江南。蒹葭秋水終違願！
簾外青苔露半含。

河滿歌成淚濕衣，留環心誓豈相違；在天比翼他生事，
舊日韓憑見蝶飛。

玉璫緘札不玲瓏；似水長愁流向東。楚尾吳頭誰走馬？
餘香衹獵敗荷風

鞭斷珊瑚馬不前，移家聞在海雲邊；樓台依舊人縹緲，
消息沉沉白露天！
情辭多處轉無題；此去蓬山感玉溪．燭未成灰絲未斷，
似他飛絮未沾泥．
桁下牽衣理綺襦，臨妝遙想額凝酥．玉顏細對菱花鏡，
知否桐郎爲汝孤？
九霄淸淨不飛霞，細聽銀簫待月華；玉宇瓊樓何處是？
有誰曾見廣寒家？
十二樓前塞雁過，盈盈一水望秋河．白雲未散星寥落，
聞有瑤臺淸唱多．
斑管長沾龍腦芬，不將淡墨寫迴文，經年積恨經年事，
都付濃磨與細薰．

128

歌哭何須問舊緣，紘紘錦瑟誠華年；蓬心只是如蕉捲，
蜀帝曾聞托杜鵑．
漢使曾求苜蓿花，絳河清淺不通槎．跨鸞引鳳新翻曲，
不及當年衞玠車．
欲笑爲投玉女壺，服官何必執金吾；溧陽公主方思嫁，
已有南朝禁臠無？
玉簫吹下望仙樓，銀燭雲屏別有愁，爭似合歡金翡翠，
蓮塘連理見雙頭．
月作珠鈿星作環，詞裁香草憶嬌鬟；花開玉蕊春三月，
曾向東風一破顏．
珍重多情兒女辭，不須人囑莫相思．凌秋未病知儂健，
自笑爲誰勉護持．

129

十七鴉鬟金雀翹，求皇定薦雉媒嬌；陳王祗狀驚鴻影，
未可橫陳靜婉腰。

賣綃將去細量珠，卜鳳歸來問紫姑。石葉名香容易闢，
只愁少女是羅敷。

去日風流不可提，綸巾折角綠楊堤；營巢不學紅襟燕，
曾被花枝笑獨棲。

山光接水又侵樓；剪紙鴉青寫恨稠。豆筴不肥楊柳瘦，
一般草木也悲秋。

憶從鼙鼓動荊州，白鷺濤聲到浙流。飛燕伯勞傳怨曲；
丹山阿閣枉相求。

去年秋雨夢驚鴉，百尺樓空鳳女家，猶傍侯門彈別淚，
追隨隱約五雲車。

金鷄玉鵲不成羣，讖語當初事已眞；袖上吐華凝不褪，
尹邢豈是眼前人。

錦字誰傳郭蜜香？淸明寒食到重陽；傷倩猶記春歸日，
人面桃花兩渺茫。

摳衣更上一層樓；拾翠遺香怨舊遊。登望已窮千里目，
烟波遍處是離愁。

斜陽西苑小樓東，落葉飛來似落紅；憶得有人瓊樹畔，
輕羅小帕握春葱。

雕釵飛去鵲無音；齧齒何當夜夜心！情不自知抛種處，
爲誰懵懂到而今！

墮樓淒絕有癡姨，破額猶能獺髓醫；辜負浣紗溪上女，
儂家瘦骨久爲犧。

白露爲霜夜氣凉；未堪狂飲五雲漿，斷腸花有雙人淚，
孰抱秋心化海棠？
不賦蘭臺宋玉風，春華秋實費雕蟲；可憐揮盡懷沙淚！
棲風梧傾恨莫窮。
崚嶒傲骨恃才驕，曾對何人一折腰；眉黛相逢常匿笑，
狂奴故態不禁消。
纏綿情思莫成灰；一世琴音屬玉臺；記取生男不如女，
撫心早誓効涓埃。
廉纖細雨黯秋光，望斷愁眸病欲狂；憶得妙齡纔十五，
莫傳消息許王昌。

七夕 癸丑

金盒蛛絲細網羅，曝衣樓上奏笙歌；誰能乞得天孫巧？

只恐相思淚更多。

紫錦囊傳漢帝珍，承華殿上亂芳塵。不難青鳥通消息，
阿母何妨作解人。

無題

信斷南飛雁，文犀照膽明。金莖承露重；瓊蕊任風輕。
對影愁鸞鏡；餘香賽鳳城。秋郊猶可探，鬥草論輸贏。
珠盤涼露滴，荷葉自田田。障袂稱南國；褰裳羞洛川。
任他霜女艷；已負素娥妍；未必饑消骨，猶成流淚泉。

驚鴻

驚鴻掠影轉猜嫌，艷語飛來問鳳占；水殿秋痕波瀲灩，
碧城春酒夜厭厭；散花裙衩芙蓉小，解佩瓊瑤玉筍纖；
舊日風流狼藉盡，雙行紅淚滿襟霑。

微辭

瑤臺玉露冷銀床，地異臨邛枉斷腸。衣織鮫綃應更密，
心涼犀角恐猶傷；芳魂不仗鸞膠續，國艷何勞獺髓妝；
辟壁香飄難辟惡，蘚花瓊戶本相望。

無題 八首

鵝毛寫長恨，忍見碧成朱！未抱連城玉；愁看紀事珠，
鸞猶棲嫩枳；鳳已去修梧。茹苦甘如薺，心心願採茶。
青烟霏蕙草，簫史已樓居。神女瓊漿後，仙郎漿飲初；
錦洲珠蚌蛤，碧海玉蟾蜍。柏麝薰香怨，漢宮有婕妤。
玉軫傳愁日，章臺躍紫騮。瑤池桃未竊，洛市果曾投；
靜婉稱宜愛，文姬續莫愁；傷秋應有夢，滄海復滄洲。
彩鳳丹山路，桐花悵望時；披香新醫餔，結綺舊腰枝；

綉縠紗襦製，緋羅錦襪遺；好教傳五馬，寄信莫參差．
衣纖聲已斷，玉甃碧桐閒．理鬢熏香坐，支頤厭露行；
雙飛輕換笑，獨倚密含情．寶扇迎歸晚，華燈更九光．
羅綺傷心刼，柔鄉灩澦堆．鱗釭蘭作焰，鳧鼎蕙成灰；
屏少琉璃薄，樓無翡翠迴；仙衣豈有縫，紺碧絕塵埃，
曾聞韓掾少，洛浦舊遺香；西子猶輕色，南威未稱心；
鞠風曾識恨，花蕊定清深；玉貌猶能憶，披沙欲揀金．
燕釵思膩首，腸斷沈郎腰．雙槳逐紅葉；千金擲翠翹．
已藏椰實舊；猶寶槿花嬌；更絡眞珠帳，輕軀骨肉消．

香

雁聲岑寂去瀟湘；姑射山遙恨未忘．辟惡凝臍傷麝損，
龍涎吐後不披香．

有感

寶鬘雙絲顧望遲，小姑居處見蘭芝；妝爲墮馬嬌無限，
夢效飛龍病自持；力盡三山歌好好，淚枯五國傳師師。
魏王才藻何須重，祇待羊車認故知。

信筆

一水晚烟碧，海天悵望迷；繞枝有鳥鵲，三匝豈無棲。

艷辭

醉羅曉夢轆轤醒，寶劍愁眸一息停，神女謫時珠有淚，
月娥去後藥無靈；菱花照膽迴環鏡，雲母銘心左右屏。
下蔡可憐迷悵惘，莫藏笑電效噴霆。

雜感

碧闌干外辟寒香；寶砌霜封夜已涼。十二樓中瑤瑟怨，

136

瓊輪遙駐照流黃．
三山風橫誓孤貞，謝傅當年夢已成；秦鳳未來靑鳥去，
金溝馬埒遍陽城．
麗賦陳恩未勝情！柘漿雲液舊知名．洛妃曾駐芝田館；
靑蓋羊車滯玉京．
齊竽誰與換鸞笙？懊惱鴛鴦屢自驚；月下舞鸞腸易斷，
可憐飛燕比身輕．
陌上驚鴻半面妝，潘妃寶釧掩秋光．輦金爲買相如賦，
祇少文君取酒嘗．
秋雲輕薄碧如羅；夕夢屏山渡絳河．鳳紙相思誰織字？
珊瑚網碎有龍梭．
複道焚香出未央，蓬萊銀闕遠瑤光．三年賦莫誇鄰媛，

已是徵辭誤禁襄．
奠障紈扇笑狂奴，百和焚心痛切膚．寶唾如花蘭氣暖，
秋江蚌淚不成珠．
椒壁輕寒酹玉缸；裂繒强笑影成雙．九光燭有金花艷，
障袂何時綠綺窗？
曾泛星槎錦水波；蘭臺走馬玉爲珂．春歸白鳳巢阿閣，
蜜勺傾時淚更多．
霜飛槁葉冷香篝；絳縷分時盡日愁；爲有素娥孀獨恨，
未堪西望九花蚪．
火齊雕屏接綺寮；鳳輧容與路迢遙．橫塘似夢長千里，
悵望飛瓊碧玉簫．

夏雲

夏雲，悵望均感懷時事作．

夏雲紛郁起江南，荊棘銅駝幻赤曇。寶鏡早知宮女膽，
明珠難覓驪龍潭；白羅鼙鼓驚雙鷺，朱雀烏衣亂雨驂。
詭辯雌黃聽不得，新亭泣後少清談。
桃簟牙床未覺幽，雨雲無跡火雲浮。星街躑躅離人淚，
玉輦倉皇遁客愁；綠野金笳殊敵壘，柳營鐵騎懷新仇。
快刀剪取淞江水，負腹將軍帷幄着。
白馬濤頭不繫船，夜氣迴合咽鶯蟬。琵琶慣抱模稜手，
箏瑟羞彈激楚絃；女妓顏頂驕盛飾，鴛鴦骯髒繡香驕。
胡姬新得蕭郎寵，更換羅衣倚妙年。
荏苒華年不勝情！振衣誰與訂心盟？神蛟怪鱷瀦江水；
封豕常蛇擁郢城。碧血淒涼長坂道；傷魂依傍射聲營。
遼東寡婦悲何限，湘竹啼痕杜宇聲。

溱洧佳人雪藕絲，杯弓蛇影病成癡；臙脂爲淚思紅豆；
細草無心訴蒼蘼。湘水月明悲別鶴；荒郊日曝駭蹲鴟。
白雲蒼狗年年幻，不見峴山墮淚碑。
呂姆蕭娘遍楚謠，旌旗翻舞柳爲腰；破家爭說指環寶，
忘命何如挾翠翹；車走雷聲驍將逝，鴻驚戰鼓小憐嬌；
石頭歷刧多遺恨，半壁風流舊板橋。
赤岸洪濤不可探，鄂江新浪似層嵐。千年燕石含寃鳥，
百結蛛絲到死蠶；寶珞金鈿嫌怨女，智珠慧劍賽奇男；
爲憐一曲相思淚，小刧華鬘我未甘。
誰家少艾厭芳菲？婉孌明眉瘦小圍。歌擁金臺喧萬戶；
氣凌玉闕警層闈。塵生羅襪難微步，火浣香衣欲奮飛；
兒女鋒鋩推獨擅，不因鮫淚孕珠璣。

佩珩艷絕有瓊琚，易水風波起劫餘；飛檄急搜秦鳳輦；
羽書催上漢鸞輿。絳河青鳥蜜香使；閬苑瑤池王母居。
葵藿心傾思婉弱，蒹葭白露靜芙蕖。

義和攬轡開東國，婺女奇星轉北躔。蘊玉莫雕媧氏石，
買絲爲繡繞朝鞭；芙蓉膩粉何必識，蘇合名香有恨煎。
碧海青天無限意，冰壺一片少纏綿。

由來七尺慣輕軀，壯慨淪夷世已殊；燕客橫眉嗜玉帛；
健兒身手好亂鬟。懷沙屈子悲天問；擊節王敦缺唾壺。
揮馬金鞭傷斷折，肯敎沈網碎珊瑚。

飛泉疎勒意軒騰，赫日烘霞熱未勝。城壘誓天金氣勁，
郊原泣血慘雲凝；秋心輾轉論生死，春夢模糊解愛憎，
七月淮南悲葉落！碧枝猶有玉棱棱，

141

爭妍固寵怨難灰，特遣黃巾策馬回；四姓良家宵掩泣，
幾千盜騎日銜枚；南都前度稱戎首，北地重來號賊魁；
商女也知專制毒，莫愁湖畔淚盈腮。

十日揚州百萬家；輕烟飛絕夕陽斜。拋殘血淚秦淮水，
檢點深仇博浪沙；金粉飄零猶髫女，白門寥落見飛鴉。
豺狼雜遝長安道，駿馬時駝錦繡車。

河洛中原獵一圍，弓鞋逐鹿騎如飛；臨春結綺方華貴，
城郭人民半式微；髑髏枉拋文錦飾，美姬贏得縠羅衣。
傷心列侍多豐艷，賣履銅臺事盡非。

蛛懸飛線網哀鴻；戰鼓璇臺類轉蓬。石鼠夜驚蘇氏橐；
白猿曾戲楚王弓。煙畦秧馬愁天壤；黑水嘉禾銜國風。
笑墮落釵媚入骨，渭陽畋獵愧非熊。

盜門圖繪孰關渡？炙手逞威怒井蛙。秦苑綠蕪成浩刼，
漢宮歌吹易沉埋；千乘萬騎陪銅輦，珠履雲冠上寶階；
螢火於今稱夜照，可隨秋月偏天涯。
水天愁思曲江津；弱草何曾犀辟塵。銅漏滴殘銀海淚，
錦帆無恙玉階人；明眸皓齒流離在，粉壁瓊樓次第新。
他日佩環歸月下，花如桃靨草如茵。
熏香愁染九華衾，霧滿塵眸淚滿襟。芍藥有名輸蘚骨；
玉響無力展蕉心。鬟眉殉國流風杳；哲婦傾城為禍深。
戎馬猖狂吳越恨，浣紗何處答千金。
瓊花山島論奇勳，繡被應教妬鄂君。玉壘浮雲淒故妓，
翠漪碧浪浣湘裙；渡江艤楫何須待，航海樓船不可焚。
洋水零丁淮水寂，曉風殘月豈堪聞。

有女仳離天一方；鏡痕破碎淚成行。驚塵匝地遺釵珥，
烽火連城怯點妝；紫陌縈迴羊徑曲，青蕪蹴踏馬蹄忙；
江河千里居人怨，籲向蒼雲已斷腸。
十萬金錢出洞門，貂冠狗尾沐私恩。柔鄉不老無心戀，
恨海能填少淚痕；珠衱稱身歌子夜，翠環約指繫王孫。
藍田玉煖雙星艷，應有冤魂入夢魂。
鉅子名高才實庸，從雲絕少葉公龍。夜香露染閒情褻，
鈿扇風多怨思重。最愧何郎甘傅粉；獨憐巧婦孰為容？
平原絲繡求佳士，莫向邯鄲道懊儂。
碧闌干外繡簾東，只少靈犀意未通。鬼蜮含沙頻伺影，
毒龍揚礫幻成風；萋斐貝錦銘讒鼎，牝牡驪黃誤玉驄。
七尺菱花燕食恨，洞簫聲咽碧樓中！

沈腰潘鬢總傷形，孽子精誠照汗青；剖玉鏤心言婉娩，
鑠金消骨影伶仃；串珠荷露原爲淚，飄絮瓊英不似萍。
璧月難圓陳後主，流霞盃酒勸長星。
芙蓉小苑李年歌，驛館凄聞響玉珂。歎蕙焚芝悲憩鶴；
翻雲覆手誤飛蛾。龍門死樹嘶交讓；淇水枯松帶女蘿。
空有盧家雙燕在，白狼河北少明駝。
桃李無言舊有蹊，霓裳愁舞汝南鷄、雙描粉黛誰相妬？
獨擁箏琶夢夜啼；唾染如花媚廣袖，看朱成碧憶柔荑。
鐵衣曾渡關山路，寶馬何嘗惜障泥。
月明滄海蟄龍知，坎壈楊朱泣路時。玉佩緇衣稱燕頷，
紫釵寶劍傲鸞姿；荊山懷璧誰能識？合浦還珠未可期。
彈鋏自憐人薄命，枉教相見莫相疑。

痛癢何關白玉搔，憑將肝膽展龍韜。碧霄彩鳳矜文翼，
孔雀山雞愛錦毛；夢醫三生迷蛺蝶，心香一縷托檀槽。
返魂無計偷靈藥，續骨應煩白獺髓。
涉世津梁本渺茫，十年吐鳳求顏唐；天涯相望滄波闊，
河漢鬪歌秋夜長；赤蚌胎傷珠宛轉，紫螺腸斷月淒涼。
文心不仗江郎夢，叱筆生花意激昂！

詩意

一幅銀光紙，千行鄭鷓鴣；含情言不得，詩意總糢糊。

讀艷詩有感

蠲渴瓊蘇不紀年，寫將鳳紙袖牆揩；玉臺眉史花爲艷，
壁月醫痕粉鬥妍；鬢色枉思詩禁臠，含香輕欲殉龍涎。
南都舊有心知夢，江令才華償宿緣。

火鳳

火鳳新聲奏，書傳郭蜜香。龍門猶抱曲，因欲覓桐郎。

信筆

玉篆書蕉紙，凌華謫帝鄉；銀河思舊事，籬外即紅墻。
橫陳猶嚼蠟，慧劍持難勝；西犂衆香國，金人夢寶燈。

閒情

夕陽紅葉小陽春，何處歌梁爲洗塵？漢帝昔勞玉冊賜，
窺窗猶有盜桃人。
蜀琴紘拂瘦紅桐；迢遞蓬山任好風。金縷枕羞燕赤鳳，
雙飛翼傍蕊珠宮。
戲拋金彈少韓嫣，才調縱橫任昉年。欲聘天孫酴十萬，
李奚囊澀沈郎錢。

紅燕支粉綠熊香，羅列鴛鴦白玉堂．飛雪丹成秦穆女，
不難劾愛獻明璫．

小病

小病相如未解酲，錦衾寶枕夢瓏玲，兜羅綿手勞輕撫；
不望麻姑降蔡經．

瓊乳

瓊乳療饑後，蘭膏飾鬢新；願爲散花女，下嫁白衣人．

悵望

悵望神州錦作泥，江東鼷鼠壓天犀；如皐乍笑思秦寶；
南郡長鳴失漢雞．簫史已跨紅尾鳳；燕昭猶市玉狻猊．
鮫綃不剪成春碧，閬苑迢遙弱水西．
藕絲作線綴珠囘，雌雄雙飛贈碧瑰．銀海金篦休刮膜，

柔鄉玉盡未量才；秋羅拂水紅蕖濕，艷錦迴文青鳥來。
香裊蘭芳迷不得，麝塵搗罷繡成堆。
紅死芙蓉秋白霜，桐衣未結女丁香。珠量秦客傾城相，
玉鎮徐妃半面妝；舊習早消烏鄉翠，新愁重上黛蛾長。
鸞絃鳳管悲難語，淚月窺心望七襄。
員嶠方壺遠沉寥，尸居餘氣誤天驕。瑤臺月蝕雙珠損，
東海霜飛屑玉樵；茉莉露香紅藥砌，繡衣潮艷綠楊橋。
琳琅歌館成沙礫，金距鄰雞門雀翹。
雙雙寶劍玉璃驄，紫氣西來未向東。雲夢放嬌巫女雨，
臨川抱豔鯉魚風；青鸞鏡麗鸞花鵲，白燕敘輕獵綠熊；
七夕心期遲一雁，蓬萊鈿合信猶通。
飛瓦鴛鴦事不知，冰盤玉碎弱難支；貝珠十斛常為淚；

琥珀千年未化脂．貝闕綃移吹絮日；玉臺梯斷步虛時；
可憐今古埋香骨！未抵青袍自護持．

隴底黃雲遍紫騮，天山明月鐵衣愁；蟲絲亂錦迴腸斷，
雀卵媚香繞指柔；丹鳳城南金翼笑，白龍堆外玉燈篝．
漢關飛將今何在？瀚海揚沙憶故侯．

伯勞西去到山河，吳憶華亭鶴唳多；束絹已裁總娣素，
南金能鑄更張羅；拗蓮作寸誰相續？搗藥為家自婀娜；
點臂守宮消不蝕，雙眸猶是厭仙娥．

玉京華帝太郎當，愁散瓊筵錦瑟傍；重作嫁衣憐黑醜，
姑藏遺襪笑倉皇；燕支祇練秦宮粉，雞舌猶右馮婦香；
最是新人不如故，為他織錦未成章．

五陵年少重探凡，江漢橫流醉後看，上掌明珠彈雀易，

150

辟寒煖王化虹難；紅桐焦尾琴仙顧，丹棗燃膏神女歎；
楚管蠻絃鵁鶄舞，京華誰效蒯緱彈？
百六秦關約法三，傷心王帛誤貪婪。繁星碧海新牛女，
明月揚州舊賊男；七二鴛鴦驚蓼浦，一雙鸂鶒換江南；
莫言蚌蛤終相類，啼煞紅鸚勸去驂。
不乞龍伸向狡虫，華才無復碧紗籠；廣眉高髻蠻心賤，
黑齒雕題骷骨空；寶軸香奩求辟惡，金章墨綬騁嘶風；
幾能鸞鶩巢阿閣，鶴死芝田鳳死桐！
蜀山誰闢五丁門，照面菱花見覆盆；千里封狐悲喋血；
百年老魅定驚魂。心傷蟬鬢收紈袖；語訴蛾眉掩淚痕。
楚尾吳頭難駐馬，成詩錦字未輕論。
琴意成痏舊白衣，欲持錦石獨支機。翠蛾拂後羞雌伏！

彩霓橫時學鳳飛，長信宮詞傷婕妤；上陽解賦屬梅妃．乘軒孌寵羞秦痔，祇憶江皐繪鯉肥．

豹尾竿前燕后讒，麒麟鞭折舊雕劖．魚成比目看龍戲，蝶網宮花任鹿銜；公主香魂歸紫佩，文姬紅淚瀆青衫；此生記取新亭涕，錦纜牙檣破浪颿．

迴首燕京盜跖軍，假威伏穴仗妖氛；平陽麗畫欺胡后；西域神香絕漢君．破國生涯滄海月；傾城消息越溪雲；黃花刼後同生死，祇築層樓不築墳．

有聞記感

十二層城縹渺開，翠鱗香餌鳩為媒．漢珠輕賣文鴦嫁，楚佩嬌銜赤鳳來；少女扇風期解慍，星蛾罷織辟相猜．烏龍獬豸今何在？麝護霜臍擬愛才．

玉鳳嬌獰語正囂，瑤池綰會早相要；月明鯉鏡照秋浪；
水瀉蟒鈎怒夜潮。獸銜珠光迷顯艷；駭鷄犀照辨凡妖。
綠花艾葉尋常剪，鳳穴將雛雛綺謠。
錦字西風待報章，銀雲蟾匣鏡瓊妝；抱冰心鐵投香奩，
唾玉唇朱點石腸；前度栽花成醉鬢，於今搗藥作藤黃；
難懺慧業傷心刼，趙璧微瑕恥馬宿。
唇樓薄露少明星，解繫機心九子鈴。金孔雀歸雲濕雨，
碧鸚鵡去電爲霆；眞珠爾篆傳蠶紙，白石苦文換鶴銘。
綠綺鎖窗金屈戌，莫教嬌女再丁寧。

記病

傾城新誓囑要盟；忍向秋蘭佩解瓊！意絮纏綿入窈窕，
心期迢遞月空明；采蘋萍實搿思滯，和藥雲漿掣淚傾；

吳質長愁傷厲疾，未忘文梓寄生生。

女子師範紀事詩

七轉星躔笑語溫，海棠花影促黃昏；參差似散瑤池會，
齊佩銀章出洞門。

長裙不學蕙嬌嬈；細草春場衆語囂。抛却釵鈿雙翡翠，
身輕一搦女兒腰。

掣鈴髣髴隔林鐘，喚起窗前鬢髮鬆；雙妹露微沾甲帳，
翠華香不透芙蓉。

燕瘦環肥孰有名？衞夫人早去瑤京：素霞一幅春綃展，
新摹靈飛皓腕輕。

鳳笙未識紫鸞新，輕囀歌喉皓齒人；猶有音聲聞宛轉，
梁塵餘響憶丹唇。

玉尺穿縫落剪瀞，移來繡坐鎮紙鬟．金針絨線眉娘慧，
不羨唐宮金鳳環．

五月紗窗夜雨霑，眠時檢點碧牙籤；樓前夜泛東流水，
愁摺湘裳繞翠簷．

笑拋金橘擬流霞，戲索寒漿五色瓜．蘇玉盤嫌山芍藥，
閒來祇采鳳仙花．

秋帛裁衣未覺涼，却嫌脂粉不嫌香；梳妝自解憐時世，
祇着繁花玄錦裳．

慣相爲伴認分明，已辨身形更辨聲，類想玉容猶錯喚，
新來學侶未知名．

傍紅躑躅打流鶯，女伴相將不勝情；難賭櫻桃雙陸子，
嬌癡口吻鬥輸贏．

舞腰能試舫瓊疏，婉孌仙姿有美譽．蕊榜錦標誰奪得？
量才笑擬女相如．
微敲纖掌慣爲歡，新摘彤霞鳳尾闌．碧瑣窗前人如玉，
刊書紫石白金鑾．
妙舌生花散碧紛，互梳鬟髻鏡中雲．秦娥十六如絃語，
戲作詼諧更論文．
繪罷新圖絹素裁，百科書勝錦文迴．琉璃硯匣生花筆，
自負淸才詠玉臺．
悵惘心情返碧閨，馬蹄金鐙錦韆齊．紗櫥授業嬌成病，
江硯宣毫怯品題．

懷人

金粟前生悟舊踪，不須懺悔是情鐘．相思皓月藏芳艷，

記事明珠辨玉容；和氏瑾瑜紅靺鞨，石家珊樹碧芙蓉。
令君香識蘭蕤細，七寶鈿釵尙未鎔。
碧絲夜絡辟寒金，一角屏山見墮簪；鶼鰈自生多比目，
鴛鴦猶小少雙心；掃眉杭儷求同夢，約腕綢繆絕抱衾。
宛轉星眸貞不字，子京半臂未情深。
深鎖葳蕤怨碧寥，秋眸一瞥換金貂；求仙慧海迷條脫，
解佩蓬瀛見步搖；靑女丁寧憐寂寞，玉兒繾綣憶嬌嬈；
莫書鳳篆珍珠字，剪紙琅玕巽絳綃。
猶見輕痕覺指纖，鳳城消息織新縑。畫樓抱月雙魚鑰，
梅屋飛花鐵馬簷；溪水浪微來慧鳥，碧天雲淡望靈蟾。
瑤英自有纏綿骨，不少名香麗紛奩。
橫波未動瘦梨渦，暋上星稀自撫摩。寶鏡雙痕愁玉女，

錦屏孤夢識姮娥；鏤紋纖指堆螺少，鬆髮奇香辟蠹多．
月下紫簫瀏亮訴，更教腸斷莫愁歌．

玳梁懊惱睡鴛鴦，洛下才人倚玉郎．翡翠瓶絨防胆怯，
琉璃匕贈秘心香；星機有誓牽牛恨，月杵無聲顧兔狂；
蘭佩荷衣猶什襲，六銖褪負鬱金裳．

惆悵南都玉樹孤，浣衣人繪輞川圖．黛痕凝綠眉成翠，
燭淚啼紅夢報珠；病後瑤京思鳳女，悟時滄海感麻姑；
可憐小謫凌華去，十二層城空碧蕪．

山花鶴市絕逢迎，豈意心絨不鎖情；擘絮五雲遲碧落；
拈花一笑墮瑤清．千絲網外調鸞舞；卍字欄前奏鳳笙．
銀蒜雙鉤簾不捲，守宮夜擣孰知名？

雙啼廣黛濕凝脂，午夜薰香夢不知．願向白頭憐薄倖，

苦效綠鬟誤矜持；支離瘦骨衣重錦，惟悴傷心攪亂絲。
荷馬言才憎命達，紅簫清減撻人姿。
夢向羅浮走馬回，仙衣無縫便人猜。睡花秋豔羅紈膩，
文杏春栽玉尺裁；一剪嫦娥羞作嫁，雙鬟飛鳳恥爲媒。
嬌嗔癡愛三生事，刼寄明珠百寶胎。
一點靈心絳樹遮，浪聞龍女亦城霞。春場並蒂金陵子，
秋樹雙喬白藕花；寒食清明愁撲蝶，重陽風月冷啼鴉；
不知青眼憐紅拂，夢裏鈿車到謝家。
淚誓悲心化海棠，新栽十幅寫明光。履輕躡繡循霜砌，
衣小熏香妬玉堂；未許雙鸞啼舞碧，已教五馬聘飛黃。
綠雲一片垂蟬翅，徹夜檀槽祇自傷！
寶鴨香添待曉雞，玉虬聽澌枕文犀。碧沈姑射八千里；

明霞銀河月一梯。吳下梅花兼白柰；洛陽買樹郎紅黎。
自憐作婢輪齊整，未結同心眉已低。
桂梁蘭室敞離儷，翠羽輕羅猩色屏；開有青鸞飛屈戌；
再從白鳳上輜軿。帕裁鴛錦江香膩；袖製龍綃絳淚零。
鑄鐵將成難決絕，憐儂婉弱願伶仃！
入骨相思紅豆知，羅襪阿母未通辭。玉環心火融香乳，
石黛眉山損翠蛾；麝枕祇涼紅琥珀，寶燈不凍碧琉璃。
紫羅深鎖金鑪後，衣帶嚴妝鈿爐遲。
神光離合憶相依，欲貯紅珠答蹇修；蘭麝綺羅關髓骨，
瓊花璧月印雙眸；幾年謀婦慚簫史，再世為男作阿侯；
爭得金堂公主婿，五雲樓閣製鷄裘。

樓居

聞說神仙好索居，枕江樓閣遠凌虛．秦臺弄玉簫郎瑣，
漢殿飛瓊閬苑書；爲羨鴛鴦題蛺蝶，不須鸞鵠換雙魚．
劉郎此去蓬山逈，祇憶蘭香識面初．

渡江心事少人同，身世何嘗擬斷蓬．盡日禁聲思舞鳳，
頻年袖手看屠龍；十香詞製纏綿憶，九轉腸迴曲折通；
離合神光猶宛若，海天西望夕陽紅．

落月在天懵不知，糢糊倦眼寫庾辭；剝蕉爲紙題難遍，
抽繭成絲事已遲；抱恨未聞求獨活，傷心豈盡是相思！
白堤才子繁憂重，夜夢荒唐怯展眉．

乘軒祇爲使人羞，十二樓空願莫儔！鯽墨成行新憤語，
恩波一霎舊風流；明鐙綺宴歡投轄，浩腕澄眸笑送鬮；
走馬門雞今寂寞，誰家公子尚無愁？

161

自負清才自不甘，竟教慧女勝痴男；吳頭蘇蕙稱雙絕，
天上王郎有兩三；異曲番書難盡識，鏤心佛語未曾諳。
可憐一掬甬江水，爭似大西洋蔚藍。

靜夜思輿倚碧欄，掃眉俠子在邯鄲；輕軀細骨飄如絮，
膚理心香膩似檀。懷璧荊山防刖足；投詩湘水痛傷肝。
美人國士多同病，徑寸隋珠總浪彈！

白琉璃映夜珠來，八扇窗櫺鎖不開；徒倚慣隨雕檻曲，
瞻望愁見亂峯堆；愛嗔情嬌嫌金屋，僻澁詩裁愧玉臺；
非似江郎還彩筆，只因多病減微才。

浣紗溪近不通槎，風引三山路更賒；鶴使未來疑馴鵲；
鷄媒歸去逐啼鴉。斷腸西蜀臨邛賦；別夢南潮王謝家。
隔院歌聲太嘹喨，沈腰消瘦不勝嗟！

162

新亭飲淚酒盈卮，鐵撥金琶掩抑時；鳳子遊蜂愁悄掠，
鴆雛腐鼠妄猜疑；嘔心報國難爲力，喋血殉情莫賣癡，
體弱不如荀奉倩，自持半臂自凝思。
絳仙才調見堆螺，龍腦奇香艷綺羅。筆苑驪珠詠五鳳，
鏡匳石黛損雙蛾；愁爲難解同心結，恨不相逢折齒梭；
媚眼橫波看未得，楚騷長伴病維摩。
記得相看雪涕零，療飢人面隔香屏；海屋沉灉春三月；
雲岫淒淸夜四星。辟惡懷香修恨史；閒居寵賦寫心經。
祈年仙館今應築，病更多愁藥不靈。
凌雲健翮孰雙翔？屬賓鳴鸞顧影傷。蒼狗豺聲過柳市，
白龍魚服在荷塘；冠彈綠績豪奴慶，珮解荔衣處士狂。
綠鬢生涯孤寂甚，雖羣猶自畫鴛鴦。

望江不復見靈潮，博齒慵投獨避囂；自有微辭傷積毀；
可教讒語闘多謠。長驅青雀心盟重；久聘花驄髀肉消。
十萬聘錢能化蝶，魏收身世勝天驕。

年年百結笑鶉衣，月下思量事事非。自爨焦琴調姹女，
倩携錦瑟問湘妃；山川斷目聽鳩喚，風雨招魂見鶴歸。
邃闥洞房飛夢到，黨家嬌婢孰痴肥？

倭服裝成下嫁無？可看京兆畫眉圖；五雲雙馬迎中婦，
玉鏡金環聘小姑；銀漢天孫猶弄杼，左家嬌女已將雛。
劇憐臨去多酡靨，深痛王昌畢竟孤。

晚風連夜滿江城，狂讌當年記絕纓，相對囁嚅稱愛愛，
緘封隱約喚卿卿；寄將深淺寒暄語，如聽嬌猶薄怒聲；
辜負新知書決絕，奮盟辭重此身輕。

164

魂夢來時路八千，讒生掩鼻奈何天。量珠遣嫁嬌紅病，種玉成緣蕚綠仙；照胆沙汀悲累日！剖心海角錮經年！小憐舊有龍香撥，破恨東風抵萬錢。

書傳萬里到吳頭，觸角天婚未易求。豎子寧馨終賤相，王孫意氣客名流；論交曾薄周公瑾，擇婿難驕孫仲謀；此日隨鴉青鳳恨，黃衫怒背白衣愁。

短亭妥罷笑合巹，衣帶嚴妝結束新；對影長娥隨岸水，迴風雙鬢白堤塵；臨江莫贈胡蘇飯，宿驛當知鳩鴿珍。方勝疊巾懷袖熱，倚樓猶是抱橋人。

往事重提細細論，珠排秘字暗驚魂。聞雞古渡眉梢奮，撈蚌滄江掌上痕；廣袖長愁新翠黛，茂陵秋病舊文園；何當嘉橘踰淮變，拋得西湖見合樁。

餘意

披襟未勝大王風，寶扇何嘗到故宮；秦室不驅奇貨客，
漢家猶喚主人翁；蝦鬚簾密青鸞在，椒壁樓空赤鳳通．
吳下少年謠詠重，道誰雙靨斷輕紅．

年來

年來雙鬢不堆鴉，辟語猶傳玉有瑕；齧臂忍消守宮血，
爲郎熄酒換金巵．
蘊怨難容強索歡，鮫盤千點淚珠寒；當時決別西冷水，
只少荊卿燕子丹．

湖西

蘭舟雙槳屢經過，夾岸銀墻似絳河．烏鵲橋孤思楚舞，
碧雞窗靜聽燕歌；風漪綠淺迷鷗渚，淇竹清深擬鳳窠；

若倩卿身居璧月，定知卿更勝姮娥。

靈犀一點欠玲瓏，百折闌干語未通。洛市羊車思控鶴，瑤臺鳥使待乘龍；生香盥手天河淺，掃翠橫眉冀北空。十載孤貞能不字，願教長寶守官紅。

相見於今悔已遲，人間重聽步虛時；兜羅棉手麻姑爪；荳蔻脂香姑射肌。孫壽理妝稱墮馬；絳仙解畫是長眉；天成風格殊凡艷，無縫仙衣世莫知。

姊妹雙雙下碧霄，雛兒年紀尚垂髫。流觴綺宴陳家讌，巧笑酡顏絕市囂；齊客食魚多不速，阮郎中酒似相邀。大夫獵雉今何在？羽箭猶堪試射雕。

如作潘妃半面妝，流波愁絕白衣郎；心期自昔憑珠字；眉語於今托玉璫。蛺蝶一雙難夢化；鴛鴦卅六不成行；

幾經滄海終違願，苟令何來韓壽香．
聞聲對影不勝愁，鐵網珊瑚未易求；僻珮有心防薄怒，
還珠墮淚空溫柔；琴音不賤長卿曲，折齒爲耽幼輿愛；
負盡玉人憐子意，倚欄時節數回眸．
不見雙鸞顧影臨，波光夕照兩消沈．繫身羅帕障羞淺，
約指全環蓄意深；短夢忘言空贈別，輕塵微步待相尋．
絳唇皓齒描難畫，走馬丹山鳳已瘖！
躡梯深見帶圍寬，臨云蹴踘跬步難；纖手堆霞撋鬢亂；
細腰抱月避郎看．蕉心鳳字抽絲藕；檀口龍涎吐氣蘭．
丰度音容重省記，昨宵清夢水雲寒．

佳訊

勒馬垂楊外；東來多麗辭．相呼鷓鴣子；對舞鳳凰兒．

一死私恩重；三生冥報遲。浮名不足貴，何以答封姨。

願辭

修眉鬆鬢淺黎渦，可許恩光上眼波？卿太矜持儂佇膺，
爲卿賣賦買朙駝。
巋賓哀響已冲霄；創鵠[illegible]
願教長拜美人蕉！

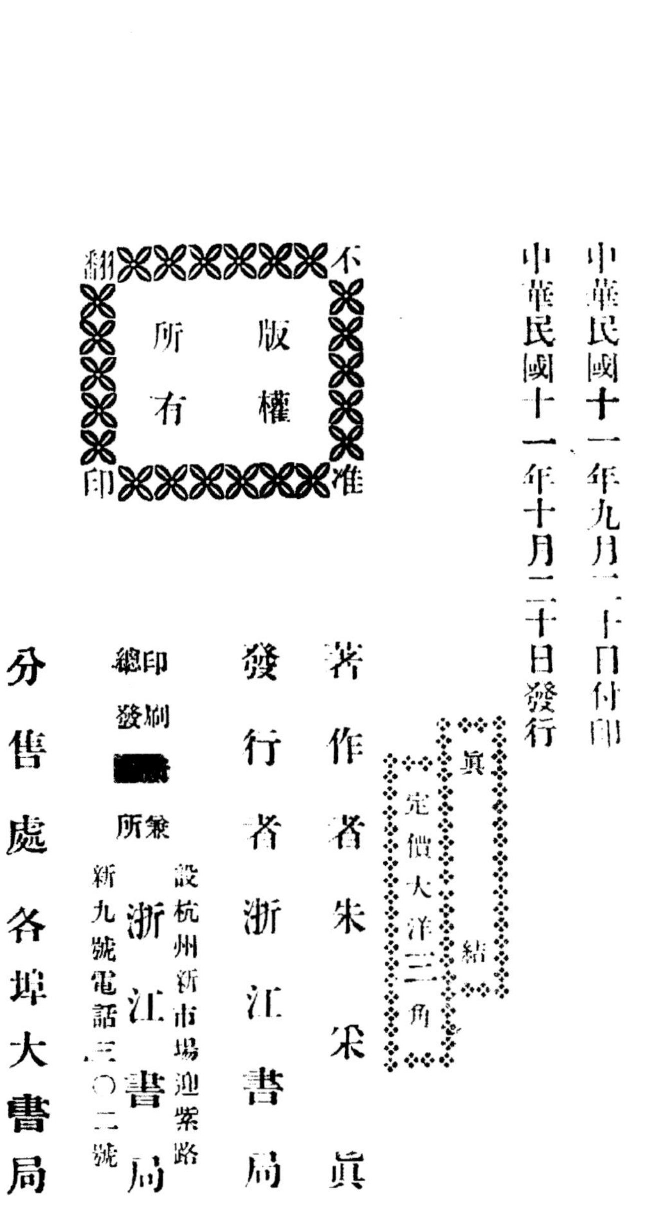

中華民國十一年九月二十日付印

中華民國十一年十月二十日發行

眞結

定價大洋三角

著作者 朱采眞

發行者 浙江書局

印刷 總發行所 [illegible] 浙江書局 設杭州新市場迎紫路 新九號電話三〇二號

分售處 各埠大書局

花木蘭文化出版社聲明啓事

此次《民國文學珍稀文獻集成》出版，有賴各位作者家屬大力支持，慨然允贈版權，遂使這巨大的文化工程得以開展。我社全體同仁在此向各位致以誠摯的謝意！

由於民國作者人數眾多，年代久遠且戰火頻繁，許多作者已無從知其下落。我社傾全力尋找，遍訪各地，能夠找到的後人，得其親筆授權者，爲數甚寡。更多的情況是，因作者本人下落不明，連版權情況都無從知曉。

因此，我社鄭重聲明：

此叢書所錄專著，凡有在版權期內而未授權者，作者家屬可與我社聯繫，我社願奉送相關贈書 50 冊爲報酬，補簽授權協議。

叢書第一輯，版權不明作者名單如下：

李寶樑、朱采眞、黃俊、汪劍餘、ＣＦ女士（張近芬）、王秋心、王環心、謝采江、曼尼、歐陽蘭、陳�、沙剎、卜弋雲、陳志莘。

望以上作者之家屬看到此通知後與我社聯繫。

聯繫信箱：hml@vip.163.com

花木蘭文化出版社

2016 年春